"El Ad Hoc Committe to Oversee the Use of the Catechism, de la National Conference of Catholic Bishops, consideró que el contenido doctrinal de este manual del maestro, copyright 2000, está en conformidad con el *Catecismo de la Iglesia Católica.*"

"The Ad Hoc Committee to Oversee the Use of the Catechism, National Conference of Catholic Bishops, has found the doctrinal content of this teacher manual, copyright 2000, to be in conformity with the *Catechism of the Catholic Church.*"

Primera Comunión

Dr. Gerard F. Baumbach
Moya Gullage

Rev. Msgr. John F. Barry
Dr. Eleanor Ann Brownell
Helen Hemmer, I.H.M.
Gloria Hutchinson
Dr. Norman F. Josaitis
Rev. Michael J. Lanning, O.F.M.
Dr. Marie Murphy
Karen Ryan
Joseph F. Sweeney

Traducción y Adaptación
Dulce M. Jiménez-Abreu
Yolanda Torres

Consultor Teológico
Most Rev. Edward K. Braxton, Ph.D., S.T.D.

Consultor Pastoral
Rev. Virgilio P. Elizondo, Ph.D., S.T.D.

Consultores de Liturgia y Catequesis
Dr. Gerard F. Baumbach
Dr. Eleanor Ann Brownell

Consultor Bilingüe
Dr. Frank Lucido

William H. Sadlier, Inc.
9 Pine Street
New York, NY 10005–1002

Contenido

Contents

Preparación sacramental completa

Objetivo

El programa para la preparación de la Primera Comunión de Sadlier está diseñado para ayudar al catequista a reunir a los niños, a las familias y a toda la parroquia para que:

❖ la preparación del sacramento sea un momento significativo para una continua formación en la fe en las vidas de los niños, las familias y la parroquia.

❖ los niños sean preparados dentro de una comunidad de fe formativa para celebrar por primera vez con reverencia, comprensión y esperanza, el sacramento de la Eucaristía.

❖ la catequesis de la Eucaristía sea presentada en forma completa, precisa y consecuente con la teología del Vaticano II y el *Catecismo de la Iglesia Católica.*

❖ la liturgia de la Misa, tema unificador de *Primera Comunión,* es presentado como expresión central de nuestra fe católica donde Cristo está realmente presente.

Preparación basada en la Misa

El programa para la preparación de la Primera Comunión de Sadlier está basado en la Misa para que los niños y sus familias desarrollen un profundo y permanente amor por la Eucaristía por medio de las celebraciones compartidas en el abrazo de la familia y la parroquia.

La preparación de la *Primera Comunión* se lleva a cabo en seis sesiones. Cada una contiene:

❖ una **historia bíblica** que ofrece un esquema para entender la parte explicada de la Misa

❖ **catequesis** de la Primera Comunión a "nivel elemental", de la parte explicada de la Misa

❖ **respuestas** para cada parte explicada de la Misa, las mismas son destacas en color azul para mayor claridad y fácil memorización

❖ cada sesión ofrece hermosas **actividades** y **preguntas** para mantener ocupada la imaginación, la memoria y el poder de razonar del niño

❖ las secciones **Para la familia** y **En la casa** animan y ayudan a que los padres participen en el proceso de preparación

❖ **Ritos de oración** especiales para la familia han sido preparados para el inicio y el final del programa. Al final del libro hay **grabados** para recortar (para ofrecer a los niños la oportunidad de hablar de lo que ven en la Misa).

Opciones para la preparación del sacramento

El Programa Sacramental de Sadlier provee materiales fáciles de usar y ofrece una gran variedad de opciones para su uso en la parroquia:

❖ preparación tradicional de la Primera Comunión hecha directamente por los ministros catequéticos y sacramentales de la parroquia donde el catequista hace participar activamente a la familia

❖ los padres preparan a sus hijos para el sacramento con la ayuda del catequista y el personal de la parroquia

❖ la parroquia organiza grupos de familias que el catequista guía y dirige, ayudándoles a ser los principales responsables de la preparación de la Primera Comunión de sus hijos

En cada una de estas opciones, los niños celebran con sus familias la Primera Comunión dentro de una liturgia parroquial.

A Complete Sacramental Preparation

Purpose

Sadlier's *First Eucharist* sacrament preparation is designed to help catechists engage the First Eucharist children, their families, and the whole parish so that:

❖ sacrament preparation truly becomes a significant moment for ongoing faith formation in the lives of the children, their families, and the parish.

❖ the children are prepared within a formative faith community to celebrate the sacrament of the Eucharist for the first time with reverence, understanding, and hope.

❖ the catechesis of Eucharist presented is accurate, complete, and consistent with Vatican II theology and the *Catechism of the Catholic Church*.

❖ the liturgy of the Mass, the unifying theme of *First Eucharist*, is presented as the central expression of our Catholic faith in which Christ is really present to us.

Preparation Rooted in the Mass

Sadlier's *First Eucharist* sacrament preparation is rooted in the Mass so that the children and their families will develop a deep and abiding love for Eucharist through celebrations shared in the supportive embrace of the family and the parish.

First Eucharist preparation does this in six sessions, each containing:

❖ a **Scripture story** that provides a framework for understanding the part of the Mass being explained

❖ a First Eucharist "child-level" **catechesis** of the part of the Mass being presented

❖ **responses** for each part of the Mass being presented in each session, set apart in blue type for clarity and easy memorization by the child

❖ creative **activities** and **questions** in every lesson to engage the child's imagination, memory, and reasoning powers

❖ a **Family Focus** section and an **At Home** activity encouraging and assisting parental involvement in the preparation process (Spanish only)

❖ In addition, special family **prayer rituals** are planned for the beginning and end of the program. **Activity cutouts** and a **Mass cutout** (to enable the children to talk about what they see at Mass) are found in the back of the book.

Options for Sacramental Preparation

Sadlier's sacramental program provides easy-to-use materials that offer a variety of options for parish use:

❖ the traditional parish First Eucharist preparation directed by parish catechetical and sacramental ministries with the catechist actively involving the family

❖ parents preparing their own children for the sacrament with the support of the catechist and the parish staff

❖ parish-organized family groups, which the catechist guides and directs, empowered to take primary responsibility for the First Eucharist preparation of their children

In each of these options, the children with their families celebrate First Eucharist within a parish liturgy.

Primera Comunión: Alcance y secuencia

	Tema del capítulo	Escrituras	Eucaristía	Para la familia
1	*Nos reunimos* CIC: 1348	Multiplicación de los panes y los peces (Juan 6:1–4, 8–13)	El Sacrificio de la Misa Ritos Iniciales Respuestas al rito	Preparación en la casa
2	*Escuchamos* CIC: 1349	Alabando a Dios (Salmo 148:1, 3, 7, 9, 10, 13)	Liturgia de la Palabra Respuestas a las lecturas	Escuchando la palabra de Dios
3	*Llevamos regalos* CIC: 1350	Dios cuida de nosotros (Mateo 6:25–32)	Preparación de las ofrendas Respuestas a la preparación de las ofrendas	Nuestros regalos a Dios
4	*Recordamos* CIC: 1353, 1354	La Ultima Cena (Lucas 22:19–20)	Liturgia de la Eucaristía Santo, santo, santo Proclamación de fe El Gran Amén	La presencia real de Jesús
5	*Recibimos a Jesús* CIC: 1364, 1365, 1386	El Padre Nuestro (Lucas 11:1–4)	Sagrada Comunión El Padre Nuestro Cordero de Dios Recibiendo la Sagrada Comunión	Recibiendo a Jesús con frecuencia
6	*Jesús está siempre con nosotros* CIC: 1396, 1397	Eres la luz del mundo (Mateo 5:14–16)	Rito de conclusión Respuestas al rito	Viviendo la Eucaristía en la vida diaria

CIC = *Catecismo de la Iglesia Católica*

First Eucharist: Scope and Sequence

	Chapter Theme	Scripture	Eucharist	Family Focus
1	*We Gather Together* CCC: 1348	Multiplication of the loaves and fishes (John 6:1–4, 8–13)	The Sacrifice of the Mass Introductory Rites Responses to the Rite	Preparing at home
2	*We Listen* CCC: 1349	Praising God (Psalm 148:1, 3, 7, 9, 10, 13)	Liturgy of the Word Responses to the readings	Listening to God's word
3	*We Give Gifts* CCC: 1350	God's care for us (Matthew 6:25–32)	Preparation of the Gifts Responses to preparation of the gifts	Our gifts to God
4	*We Remember* CCC: 1353, 1354	The Last Supper (Luke 22:19–20)	Liturgy of the Eucharist Holy, holy, holy Proclamation of faith Great Amen	The real presence of Jesus
5	*We Receive Jesus* CCC: 1364, 1365, 1386	The Our Father (Luke 11:1–4)	Holy Communion The Our Father Lamb of God Receiving Holy Communion	Receiving Jesus often
6	*Jesus Is With Us Always* CCC: 1396, 1397	You are the light of the world (Matthew 5:14–16)	Concluding Rite Responses to the Rite	Living the Eucharist in daily life

CCC = *Catechism of the Catholic Church*

Preparación con apoyo de la parroquia y la familia

Papel del catequista

El catequista en este programa tiene la agradable tarea de trabajar con la familia y hacer que participe activamente en la preparación del niño para celebrar y recibir a Jesucristo en la Primera Comunión. El catequista necesita estar preparado, tener entusiasmo, amor, y sobre todo, reverencia ante la individualidad y dignidad de cada niño.

El catequista necesita conocer a cada niño bajo su cuidado. Un esfuerzo genuino debe ser hecho para estar en contacto con todas las familias de los niños en el programa. Debe animar a las familias a compartir y participar en la liturgia semanal de la parroquia y a usar las secciones *Para la familia* y *En la casa*.

Papel del Director

La preparación de los niños para la Primera Comunión, uno de los sacramentos de iniciación de la Iglesia, es esencial para la vida de la parroquia. El papel del director está en el centro del engranaje que envuelve a los niños, sus familias, el catequista, el párroco y la parroquia. He aquí algunas formas en las que el director puede ofrecer liderazgo:

❖ planificar y dirigir reuniones con las familias que participan en la preparación del sacramento;

❖ pensar en formas de ayudar a los padres de los niños que van a hacer la Primera Comunión a reflexionar en el significado de la Eucaristía en sus vidas;

❖ ofrecer recursos para ayudar a los padres en la formación espiritual de sus hijos;

❖ reunir a los dirigentes litúrgicos y catequésticos para planificar el tiempo de oración en la preparación de la Primera Comunión;

❖ informar e incluir a la comunidad parroquial en la preparación sacramental de los ritos y la liturgia para la celebración de la Primera Comunión.

Papel de la comunidad parroquial

La Eucaristía es un sacramento de iniciación que, conjuntamente con el Bautismo y la Confirmación introduce al creyente en la plenitud de la iniciación en la comunidad de Jesucristo. La parroquia, quien representa esta comunidad para el niño que va a hacer la Primera Comunión y sus familias, es parte integral en la preparación para la Primera Comunión.

La comunidad parroquial debe participar desde el principio en este tiempo de preparación. Es por eso que el *Rito de bienvenida* debe tener lugar durante una Misa un domingo. Los candidatos para la Primera Comunión piden a los miembros de la asamblea rezar por ellos y apoyarlos mientras se preparan para la Eucaristía. Por la misma razón, exhortamos la celebración de la Primera Comunión durante una misa parroquial y que el *Rito de conclusión* tenga lugar durante esa liturgia en la presencia de la asamblea de la comunidad. De esta forma la celebración del sacramento sigue siendo una señal de la unidad de la familia parroquial alrededor de la mesa del Señor.

A Family and Parish-Based Preparation

The Role of the Catechist

The catechist in this program has the delightful task of actively involving and working with the family to prepare the child to celebrate and receive Jesus Christ in First Eucharist. The catechist needs to be prepared, enthusiastic, loving, and, above all, reverent before the uniqueness and dignity of each child.

The catechist, therefore, needs to know each child in his/her care. A genuine effort should be made to be in touch with all the families of the children in the program. They should be encouraged to use the *Family Focus* sections and the *At Home* activities (in Spanish only), and to share in the parish liturgy each week together.

The Role of the Director

The preparation of children for First Eucharist—a sacrament of initiation into the Church—is essential to the ongoing life of the parish. The director's role is at the heart of the network that involves the children, their families, the catechist, the pastor, and the parish. Ways in which the director can provide leadership in sacramental preparation include:

❖ planning and directing meetings with families involved in sacramental preparation;

❖ discerning ways to help parents of First Communicants reflect on the meaning of Eucharist in their lives;

❖ providing resources to assist parents in the spiritual formation of their children;

❖ gathering the parish's catechetical and liturgical leadership to plan the times of worship involved with First Eucharist preparation;

❖ informing and involving the parish community in the sacramental preparation, rites, and liturgical celebration of First Eucharist.

The Role of the Parish Community

The Eucharist is a sacrament of initiation which, along with Baptism and Confirmation, draws the believer into the fullness of initiation into the community of Jesus Christ. The parish, representing this community for the First Eucharist children and their families is, therefore, integral to the parish's First Eucharist preparation.

The parish community should be involved from the very beginning of preparation time. That is why the *Parish Welcoming Rite* should take place during a regularly scheduled parish Sunday liturgy. The candidates for First Eucharist ask the assembled members of the parish to pray for them and support them as they prepare for Eucharist. For the same reason, we encourage the celebration of First Communion during a parish Mass and that the *Sending Forth Rite* take place during that liturgy in the presence of the assembled community. In this way the sacramental celebration continues to be a sign of unity for the parish family around the table of the Lord.

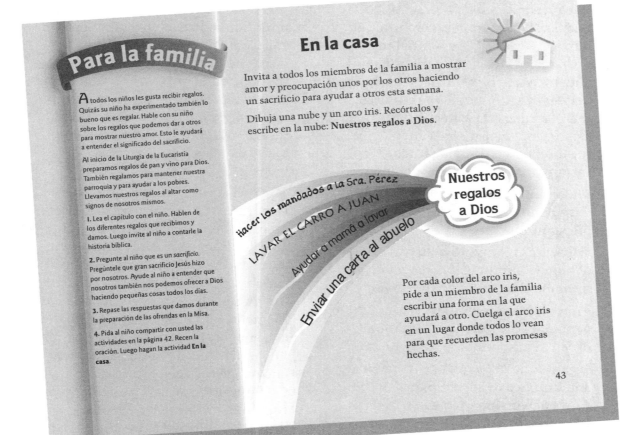

Para la familia

A todos los niños les gusta recibir regalos. Quizás su niño ha experimentado también lo bueno que es regalar. Hable con su niño sobre los regalos que podemos dar a otros para mostrar nuestro amor. Esto le ayudará a entender el significado del sacrificio.

Al inicio de la Liturgia de la Eucaristía preparamos regalos de pan y vino para Dios. También regalamos para mantener nuestra parroquia y para ayudar a los pobres. Llevamos nuestros regalos al altar como signos de nosotros mismos.

1. Lea el capítulo con el niño. Hablen de los diferentes regalos que recibimos y damos. Luego invite al niño a contarle la historia bíblica.

2. Pregunte al niño que es un *sacrificio*. Pregúntele que gran sacrificio Jesús hizo por nosotros. Ayude al niño a entender que nosotros también nos podemos ofrecer a Dios haciendo pequeñas cosas todos los días.

3. Repase las respuestas que damos durante la preparación de las ofrendas en la Misa.

4. Pida al niño compartir con usted las actividades en la página 42. Recen la oración. Luego hagan la actividad **En la casa**.

En la casa

Invita a todos los miembros de la familia a mostrar amor y preocupación unos por los otros haciendo un sacrificio para ayudar a otros esta semana.

Dibuja una nube y un arco iris. Recórtalos y escribe en la nube: **Nuestros regalos a Dios**.

Hacer los mandados a la Sra. Pérez

LAVAR EL CARRO A JUAN

Ayudar a mamá a lavar

Enviar una carta al abuelo

Nuestros regalos a Dios

Por cada color del arco iris, pide a un miembro de la familia escribir una forma en la que ayudará a otro. Cuelga el arco iris en un lugar donde todos lo vean para que recuerden las promesas hechas.

43

Papel de la familia

La alianza de la comunidad parroquial y la familia en el proceso de preparación de los niños para la vida sacramental de la Iglesia se inicia con el Bautismo y se extiende a la Confirmación, la Eucaristía y la Reconciliación. El **Programa Sacramental de Sadlier** exhorta y apoya esta alianza. Donde el programa es dirigido por un catequista, sugerimos que los niños lleven el libro a la casa y compartan la lección con sus padres. Cuando sea posible, los padres pueden usar este programa para preparar a sus hijos para la Primera Comunión. La secciones *Para la familia* y las actividades *En la casa* fomentan la participación de los padres. A los padres o tutores se les pide participar activamente en los ritos de bienvenida y de conclusión así como en la ceremonia litúrgica de la Primera Comunión.

Para la familia

Muy pronto su niño recibirá a Jesús en la Sagrada Comunión. Trate de crear con anticipación una atmósfera de oración en la familia. Con gentileza dirija al niño a pensar con frecuencia en el gozo de recibir a Jesús, en vez de en los regalos que va a recibir.

1. Pida al niño decirle la forma en que Jesús enseñó a orar a sus discípulos. Puntualice que rezamos el Padre Nuestro antes de recibir la Sagrada Comunión. Pida al niño le explique lo que significa decir "perdona nuestras ofensas como también nosotros perdonamos a los que nos ofenden".

2. Hablen sobre el saludo de la paz que compartimos antes de recibir a Cristo. ¿Cómo podemos ser gente que da paz? Luego repasen las respuestas que damos en la Comunión en la Misa.

3. Practique con el niño como recibir la hostia. Hágalo despacio, con calma para que en niño no se ponga nervioso. Si el niño va a recibir de la copa, también practíquelo.

4. Ayude al niño a pensar sobre lo que hará después que reciba a Jesús. Pregunte: "¿Qué vas a decir a Jesús? ¿Por qué rezarás?"

5. Luego hagan la actividad **En la casa**.

En la casa

Haz una caja de memorias de mi Primera Comunión. Usa una caja de zapatos (o una de tamaño similar). Decórala y escribe en la tapa "Memorias de mi Primera Comunión".

Haz una lista de lo que pondrás dentro de tu caja. Puede que quiera escribir una carta o grabar una cinta sobre el día de tu Primera Comunión.

fotografías _____

tarjetas de oración _____

Memorias de mi Primera Comunión

67

The Role of the Family

The partnership of parish community and family in the process of preparing children for the sacramental life of the Church begins with Baptism and extends to Confirmation, Eucharist, and Reconciliation. The **Sadlier Sacrament Program** encourages and supports this partnership. Where the program is catechist-directed, we suggest that the children bring their books home to share each session with their parents. Where feasible, parents can use the components of this program to prepare their own children for First Communion. In each session a *Family Focus* section and an *At Home* activity (Spanish only) encourages parental involvement. Parents (or guardians) are also asked to participate actively in the opening and closing prayer rites as well as in the First Communion liturgy.

Componentes

Primera Comunión/Texto para el niño

El texto para el niño contiene 6 lecciones de 12 páginas, incluyendo la página *Para la familia* y la actividad *En la casa*. Estas actividades son para ayudar a los padres a participar en el proceso de preparación.

El libro incluye dos ritos para celebrar con la comunidad parroquial en la misa: *Rito de bienvenida* al inicio de la preparación y el *Rito de conclusión* para finalizar el proceso.

El libro también incluye:

❖ *Repaso: Recordaré* — Repaso de las ideas principales

❖ folletos: *Preparándome para Jesús* — uno para cada lección — para que el niño lo lleve a la casa para recordar y compartir cada lección con la familia

❖ Credo de Nicea y Credo Apostólico

❖ oraciones y canciones adicionales

❖ invitación a la Misa de la Primera Comunión, el niño la escribirá y la enviará

❖ *Recuerdos de mi Primera Comunión* página para recordar este día especial

❖ Certificado de Primera Comunión

❖ grabados para recortar para dos lecciones y para el *Rito de conclusión*

Guía bilingüe para el catequista o dirigente

Esta guía bilingüe ofrece 48 páginas de clara presentación del material en el libro del niño. Presenta un bosquejo del alcance y la secuencia del programa y ofrece sugerencias para cada lección en un formato simple de "introducción presentación y conclusión".

Misal para el niño: Siempre con Jesús (Disponible sólo en inglés)

Este librito está disponible en dos ediciones, rústica y de lujo. La intensión del misal no es sólo ofrecer un recuerdo de la Primera Comunión sino que el niño lo use regularmente cada vez que asista a Misa.

Además de las oraciones y respuestas de la misa, tiene una sección que recuerda al niño los pasos para celebrar la Reconciliación. También se incluyen oraciones y prácticas tradicionales de la Iglesia Católica.

Música grabada (sólo en inglés)

Songs: First Eucharist, en cinta o CD, contiene todas las canciones, los himnos y las respuestas a la Misa. Cada canción ha sido arreglada para que los niños la canten en forma simple. Se sugiere un método para enseñar la música.

Certificado de Primera Comunión

Está disponible una edición de lujo, sólo en inglés, apropiada para ser enmarcada, además de la que acompaña el texto.

Cruz de madera

Una cruz sólida enchapada en oro está disponible. Es réplica de la cruz de papel para recortar que se encuentra al final del libro. Es la cruz que se debe usar en el *Rito de conclusión*. Está diseñada para ser un recuerdo permanente de este rito y de la Primera Comunión del niño.

Components

Child's Book: Primera Comunión

The child's book presents 6 twelve-page sessions, including a *Family Focus* and *At Home* activity page in Spanish for each session to encourage and assist parental involvement in the preparation process.

The book includes two rites to be celebrated with the parish community at Mass: *A Parish Welcoming Rite* at the beginning of the preparation and *A Sending Forth Rite* at its conclusion.

The book includes in Spanish only:

❖ *Summary: I Will Remember*—a review of key ideas

❖ *Preparing for Jesus Booklets*—one for each session—for the child to bring home as a way to remember and share each session

❖ Nicene and Apostles' Creeds

❖ additional prayers

❖ an invitation to First Communion Mass for the child to write and send

❖ a *First Communion Memories* page, for recording and remembering this day

❖ songs in Spanish for First Communion

❖ certificate of First Communion in English

❖ cutouts to accompany two lessons and the *Sending Forth Rite*

❖ Mass cutout

Catechist's/Leader's Guide

This guide provides a clear 48-page presentation of the material in the child's book. A scope and sequence for the program is outlined and easy-to-use suggestions are made for each session in a simple "beginning, middle, end" format.

A Children's Mass Book: With Jesus Always

This little book is available in two editions, soft cover and deluxe hard cover. It is intended to serve not only as a beautiful memento of the child's First Eucharist, but, more importantly, to be used regularly each time the child participates at Mass.

It contains, besides the Mass prayers and responses, a section reminding the child how to prepare for celebrating the sacrament of Reconciliation. Traditional prayers and practices of the Catholic Church are also included.

First Eucharist Music

Sadlier's cassette or compact disk, *Songs: First Eucharist*, contains songs and hymns in English, including Mass responses. Each song is arranged for and sung by children in a simple and inviting way. A suggested method for teaching the music is provided.

A First Eucharist Certificate

Besides the certificate contained in the child's book, a separate deluxe edition, suitable for framing, is available.

Wooden Cross

A sturdy golden-roped replica of the paper cross in the back of the child's book is also available. It is the cross that may be used in the *Sending Forth Rite*. It is designed to be a permanent memento of this rite and of the child's First Communion.

Rito de bienvenida

Objetivo

Desde el principio del proceso de preparación para la primera comunión, es importante recordar que la celebración es un evento *eclesiástico*, una celebración de la Iglesia. La atención no se debe centrar únicamente en los que se están preparando para el sacramento, sino también en la participación de la comunidad parroquial. Por esa razón empezamos nuestro tiempo de preparación en la presencia de la comunidad parroquial durante una misa dominical.

Nota: de acuerdo al *Catecismo de la Iglesia Católica*, "Los niños deben acceder al sacramento de la Penitencia antes de recibir por primera vez la Sagrada Comunión". (1457)

Momento para el rito

Un momento apropiado para celebrar este rito es durante una misa dominical, después de la primera lección. De esta manera los niños ya tienen sus libros y están preparados para el rito, y los padres o tutores pueden apreciar su participación, después de una invitación personal del catequista.

Es importante hablar con el párroco y el celebrante para decidir en que momento de la misa se va a celebrar el rito. Sugerimos celebrarlo antes de la bendición final.

Adapte el rito al número de niños participantes y al tiempo y disponibilidad de la parroquia. Por ejemplo, quizás quiera sentar a los padres directamente detrás de sus hijos.

Participación de la comunidad parroquial

Es importante que el sacerdote celebrante o el catequista ofrezca una *breve* introducción del rito a la asamblea. Una explicación de la presentación y apoyo de los padres a sus hijos como candidatos para la primera comunión; la expresión de los niños de su deseo de recibir a Jesús y el reconocimiento de la comunidad parroquial de su participación y oración para apoyar a los niños miembros de la Iglesia, que van a ser iniciado en la comunidad eucarística.

Comunicación con los padres o tutores

Sugerimos enviar una carta, a los padres o tutores, informándoles su participación el *Rito de bienvenida*, también recordárselo por teléfono. Si quiere puede enviarle una copia del rito y pedirles que lo lleven a la misa.

Recuerde a las familias recordar al niño traer su libro a la misa. Tenga algunas copias disponibles por si algún niño olvida su libro.

Pida a las familias llegar un poco temprano para disponer los asientos y repasar el rito.

Preparación con los niños

❖ Lea con los niños el rito, explique lo que tendrá lugar. Ayude a los niños a estar más conscientes de su pertenencia a una comunidad parroquial que quiere apoyarlos y rezar por ellos.

❖ Pida a los niños escuchar una canción al tiempo que la cantan hasta que la aprendan.

❖ Exhorte a los niños a llevar sus libros a casa y repasar el rito con los miembros de la familia.

❖ Haga que cada niño escriba en su libro la hora de la celebración de la misa.

A Parish Welcoming Rite

Purpose

From the very beginning of the preparation process for First Eucharist, it is important to remember that the celebration is an *ecclesial* event, a celebration of the Church. The focus is not only to be on those preparing for the sacrament, but on the participation of the parish community as well. For this reason, we begin our time of preparation in the presence of the parish community at Sunday Mass.

Note: According to the *Catechism of the Catholic Church* "children must go to the sacrament of Penance before receiving Holy Communion for the first time" (1457).

Scheduling the Rite

An appropriate time to hold this welcoming rite is at a parish Mass after the first session. In this way, the children will have received their books and be prepared for the rite, and parents or guardians can be apprised of their part in the rite through a personal invitation from the catechist.

It will be important also to speak to the pastor and the celebrant to decide at which point in the Mass the rite will take place. We suggest celebrating the rite immediately before the final blessing.

Adapt the rite to the number of children involved and to the constraints and possibilities of your parish church. For example, you might wish to seat the parents directly behind their child.

Involvement of the Parish Community

It is important that the presiding priest or the catechist give the assembly a *brief* introduction to the rite—an explanation of the parents' presentation and support of their children as candidates for the Eucharist, the children's expression of their desire to receive Jesus, and the parish community's recognition of its involvement in praying for and supporting these young members of the Church, soon to be initiated into the eucharistic community.

Contacting the Parents/Guardians

We suggest that parents and guardians be sent a letter regarding their participation in the welcoming rite and that there be a reminder by telephone. You might want to send them a copy of the rite as well, and encourage them to bring it to Mass. Remind the families to have the children bring their books with them to Mass. Just in case (young children can be notoriously forgetful), have extra copies with you at Mass.

Ask the families to come a little early for Mass so that you can arrange seating and go over the rite together.

Preparation with the Children

❖ Read through the rite together, explaining what will take place. Help the children become more aware that they belong to a parish community that wants to support and pray for them.

❖ Have the children listen to the song on the *Songs: First Eucharist* cassette or CD and sing along until they are comfortable with it.

❖ Encourage them to bring their books home and go over the rite with their family member(s).

❖ Have each child write, in his or her book, the time at which Mass will be celebrated.

1 Nos reunimos

Referencia para el catequista

En la Eucaristía, la comunidad católica celebra su fe en Cristo como Hijo de Dios quien nos ha introducido en la confraternidad con Dios por medio de su vida, muerte y resurrección. La celebración de la Eucaristía siempre incluye: la proclamación de la palabra de Dios, acción de gracias al Padre por todos sus dones especialmente el regalo de Jesús, la consagración del pan y el vino y el compartir la comida eucarística recibiendo la comunión. (Ver el *Catecismo de la Iglesia Católica*, 1408.) En la Eucaristía Jesús satisface nuestra hambre y sed de vida y nos lleva a unirnos con Dios y los demás. "Yo soy el pan de vida, aquel que viene a mí no tendrás más hambre, el que cree en mí nunca tendrá sed" (Juan 6:35).

Demostramos nuestra fe en Cristo en la forma en que vivimos como una comunidad, por nuestro cuidado, preocupación y amor unos por otros. Cuando nuestra comunidad parroquial se ha reunido para celebrar la Eucaristía, empieza la misa con los Ritos Iniciales. Esta parte de la celebración incluye una procesión de los ministros en medio de la comunidad reunida, palabras de bienvenida y una invitación a rezar. Pedimos perdón a Dios en el rito de la penitencia y proclamamos alabanzas a Dios diciendo: "Gloria a Dios en el cielo". De esta forma la asamblea se prepara para escuchar atentamente la proclamación de la palabra de Dios.

Sugerencias

Prepare con anticipación el lugar donde el grupo se va reunir. Disponga un ambiente acogedor y que invite a la oración. He aquí algunas cosas que puede hacer: preparar un lugar de oración donde puede colocar una Biblia, puede tocar música suave mientras los niños entran al aula, exhibir carteles, poner los pupitres en círculo en un lado del salón y las mesas y escritorios en otro. Ayuda, algunas veces, tener un sonido especial, como una campanada, como señal de tiempo de oración.

Para niños con necesidades especiales

Para mantener a los niños especiales interesados hay que hacerlos miembros participantes del grupo. Hágalos participar en todas las actividades.

Necesidades visuales
❖ sentarlos en un lugar preferencial

Necesidades auditivas
❖ audífonos, cintas grabadas con lecturas bíblicas y las respuestas de la misa

Necesidades motoras y de tacto
❖ ayudante para elaborar el primer folleto

Recursos

Mass for Young Children: Parts I & II (video)
St. Anthony Messenger/ Franciscan Communications
1615 Republic Street
Cincinnati, OH 45210
(1–800–488–0488)

Materiales para esta lección

❖ *Songs: First Eucharist,* cinta grabada o CD de Sadlier

1 We Gather Together

Adult Background

In the Eucharist, the Catholic community celebrates its faith in Christ as the Son of God who has drawn us into fellowship with God through His life, death, and resurrection. The celebration of the Eucharist always includes: the proclamation of the word of God; thanksgiving to the Father for all his gifts, especially the gift of Jesus; the consecration of bread and wine, and sharing the eucharistic meal by receiving Holy Communion. (See *Catechism*, 1408.) In the Eucharist Jesus satisfies our hunger and thirst for life and brings us into union with God and with one another. "I am the bread of life. He who comes to me will never be hungry; he who believes in me will never be thirsty" (John 6:35).

We demonstrate our faith in Christ by the way we live as a community— by our care, concern, and love for one another. When our parish community has gathered to celebrate the Eucharist, the Mass begins with the Introductory Rites. This part of the celebration includes a procession of the ministers in the midst of the gathered community, words of welcome, and an invitation to prayer. We then ask for God's forgiveness in the penitential rite and proclaim God's praise saying, "Glory to God in the highest." In this way the assembly is prepared to listen with prayerful attention to the proclamation of God's word.

Preparation Hints

Prepare in advance the place where your group will meet. Make the environment as pleasing, welcoming, and prayerful as possible. Some ways to do this include: preparing a prayer corner with an open Bible, having soft music playing as the children enter, displaying flowers and posters, arranging chairs in a circle in one part of the room and desks or working surfaces in another. Sometimes it helps to have a special sound, such as a chime, to signal a time of prayer.

Special-Needs Child

Mainstreaming children means involving them as participating members of the group. Involve them in all activities.

Visual Needs
❖ preferential seating

Auditory Needs
❖ headphones, tape recording of the Bible reading and Mass responses

Tactile-Motor Needs
❖ helper to assist in making booklet 1

Resources

Mass for Young Children: Parts I & II (video)
St. Anthony Messenger/ Franciscan Communications
1615 Republic Street
Cincinnati, OH 45210
(1–800–488–0488)

Materials for This Session

❖ Sadlier's *Songs: First Eucharist* cassette or CD

Planificación de la lección

Introducción ___ minutos

❖ Si los niños no se conocen, tenga preparado marbetes con los nombres y de tiempo para que los niños se presenten unos a otros. Puede guardar los marbetes para la próxima sesión.

Dé a cada niño un libro *Primera Comunión*. Juntos lean el título e envite a los niños a comentar la portada. Pida a los niños hacer la señal de la cruz, despacio y con reverencia. Pídale abrir el libro en la página 8. Lea la primera oración con entusiasmo y calor. Pida a los niños hablar de las fotografías en esas páginas. Ayúdele a descubrir el sentido de bienvenida que es presentado. Pídale hablar acerca de la bienvenida que usted le da al grupo. Lea con los niños la página 8.

❖ Permítales decir como se sienten al prepararse juntos para la Primera Comunión. Después introduzca la historia bíblica.

Presentación ___ minutos

❖ Señale la vela y la Biblia en la página 10. Explique que cuando estas imágenes aparecen significa que una historia bíblica es presentada. Cuando vaya a leer una historia bíblica ponga su libro dentro de la Biblia. Al terminar la lectura invite a un niño a llevar la Biblia, con reverencia, a la mesa de oración.

Lea en voz alta la historia en la página 10. Luego pida a los niños quedarse en silencio. Invítelos a mirar la foto de la página 11 y a imaginarse sentados con Jesús. Haga las preguntas de la página 12 y lea el párrafo al final de la página. Pídale realizar la actividad en la página 13.

Si el tiempo lo permite lea la historia otra vez y pida a varios niños dramatizarla mientras usted lee.

❖ Señale la imagen del cáliz y la hostia en la parte arriba de la página 14. Explique a los niños que cada vez que aparezca esa imagen en una página, estarán aprendiendo acerca de la Eucaristía. Lea el primer párrafo en voz alta. Ayúdeles a decir, en sus propias palabras, que es la Misa.

Pida un voluntario para leer los próximos dos párrafos y pregunte a un niño qué está pasando en la fotografía.

Las respuestas que decimos al inicio de la Misa están impresas en azul en la página 16.

Conclusión ___ minutos

❖ La actividad en la página 18 ayuda a los niños a fortalecer su entendimiento de lo que han aprendido en esta lección y a decidir como van a vivir su fe. Hagan la actividad juntos.

❖ Pida a los niños llevar sus libros a casa y compartir con sus familiares el primer folleto *Preparándome para Jesús*, exhórtelos a hacer la actividad *En la casa* y el folleto con sus familiares.

Plan for the Session

Beginning ___ min.

❖ If the children do not know one another, have name tags available and provide time for them to tell one another their names. You might wish to save the tags for use in the next session.

Give each child a copy of *Primera Comunión*. Ask the children to share their comments about the front cover. Then invite them to make the sign of the cross with you, slowly and reverently. Have the children open their books to page 9. Read the first sentence with enthusiasm and warmth. Ask the children to talk about the picture. Help them to articulate the sense of welcome that is portrayed. Ask them to talk about how they felt welcomed by you and the group. Then read page 9 with the children.

❖ Allow the children to tell how they feel about preparing together for Holy Communion. Then introduce the gospel story.

Middle ___ min.

❖ Point out the image of the candle and Bible at the top of page 10. Explain that when this image appears it means a story from the Bible follows. Each time you read from Scripture, you might want to place your book inside the Bible. After the reading, invite a child to return the Bible reverently to the prayer table.

Now read aloud the story on page 10. Then ask the children to be very still. Invite them to look at the picture on page 11 and to imagine themselves there with Jesus. Ask the questions on page 12. Then read the closing paragraph and do the prayer activity on page 13.

If time allows, read the story a second time and have a few children act it out as you read.

❖ Point out the image of the chalice and host at the top of page 14. Tell the children that when they see this image on a page, they will know they will be learning about the Eucharist. Read aloud the first paragraph on page 15. Help them to tell, in their own words, what the Mass is.

Have volunteers read the next two paragraphs and ask the children to tell what is happening in the picture.

The responses we say as the Mass begins can be found on page 17. The responses are printed in blue for the children.

End ___ min.

❖ The activity on page 18 helps the children to strengthen their understanding of what they have learned in this lesson and to decide how they will live their faith. Do the activity together.

❖ Have the children take home their books to share with their families the activity on page 19 and booklet 1 on page 89.

2 Escuchamos

Punto de referencia
Catecismo de la Iglesia Católica
❖ 1190, 1349

Referencia para el catequista

Desde el inicio de la Iglesia, la lectura de las Escrituras ha sido parte esencial de la liturgia. "El sentido de la celebración es expresado por la Palabra de Dios que es anunciada y por el compromiso de la fe que responde a ella" (*Catecismo de la Iglesia Católica*, 1190). Los católicos tienen su principal contacto con las Escrituras en la Liturgia de la Palabra, durante la celebración semanal de la Eucaristía.

A través del año litúrgico y dentro de los ciclos de las lecturas del leccionario, los católicos escuchan la palabra de Dios de la Biblia. En la Liturgia de la Palabra la lectura principal es del evangelio porque los evangelios son el centro de las Escrituras para nosotros. Por esa razón cantamos una aclamación y nos ponemos de pie para la proclamación del evangelio.

En la misa escuchamos la palabra de Dios en comunidad. Las lecturas son tomadas del Antiguo y del Nuevo Testamento. Somos verdaderamente alimentados con la palabra de Dios y sustentados para nuestras vidas como comunidad de creyentes.

Sugerencias

Esta lección pone énfasis en la Liturgia de la Palabra. Ayude a los niños a desarrollar un sentido de reverencia por la palabra de Dios. Si es posible, dé oportunidad a los niños para preparar una liturgia de la palabra simple que pueda ser parte de la misa de la primera comunión. Recalque la importancia de que cada uno de nosotros forme parte activa en la misa.

Para niños con necesidades especiales

Asigne el niño a un compañero que acepte las diferencias de los niños especiales.

Necesidades visuales
❖ respuesta de la misa recortadas en papel de lija

Necesidades auditivas
❖ cinta grabadas con las respuestas de la misa

Necesidades motoras y de tacto
❖ ayudar a los niños a recortar el corazón que se encuentra al final del libro y a escribir la oración de petición

Recursos

Long, Long Ago and *There's So Much to Do* (video)
The Marvelous Mystery series
Our Sunday Visitor
200 Noll Plaza
Huntington, IN 46750
(1–800–348–2440)

We Listen to God's Word (video)
Brown–ROA
2460 Kerper Blvd.
P. O. Box 539
Dubuque, IA 52004–0539
(1–800–922–7696)

Materiales para esta lección

❖ *Songs: First Eucharist*, cinta grabada o CD de Sadlier

❖ grabado para recortar (corazón), hilo o soga, marcadores

2 We Listen

Adult Background

From the earliest days of the Church, the reading of Sacred Scripture has been an essential part of the liturgy. "The meaning of the celebration is expressed by the word of God which is proclaimed and by the response of faith to it" (*Catechism*, 1190). It is at the Liturgy of the Word during the celebration of the Eucharist each week that most Catholics experience their principal contact with Scripture.

Throughout the liturgical year and within the cycles of the lectionary readings, Catholics hear God's word from most of the books of the Bible. Preeminent in the Liturgy of the Word is the gospel reading, because the gospels are the heart of Scripture for us. This is also why we sing a gospel acclamation and stand for the proclamation of the gospel.

At Mass, we listen to God's word together as a community. The readings usually include selections from both the Old Testament and the New Testament. In the deepest sense we are truly nourished in our lives and sustained as a community of believers by the word of God.

Preparation Hints

This session focuses on the Liturgy of the Word. Help the children develop a sense of reverence for the word of God. If possible, give them the opportunity to plan a simple Liturgy of the Word that could become a part of their First Communion Mass. Emphasize how important it is that each of us take an active part in the Mass.

Special-Needs Child

Assign each child a partner who is accepting of differences.

Visual Needs
❖ Mass responses cut from sandpaper

Auditory Needs
❖ tape recording of Mass responses

Tactile-Motor Needs
❖ assistance in cutting out heart and writing the prayer petition

Resources

Long, Long Ago and *There's So Much to Do* (video)
The Marvelous Mystery series
Our Sunday Visitor
200 Noll Plaza
Huntington, IN 46750
(1–800–348–2440)

We Listen to God's Word (video)
Brown–ROA
2460 Kerper Blvd.
P.O. Box 539
Dubuque, IA 52004–0539
(1–800–922–7696)

Materials for This Session

❖ Sadlier's *Songs: First Eucharist* cassette or CD

❖ heart cutout, long string or yarn, markers

Planificación de la lección

Introducción ___minutos

❖ Prepare una atmósfera tranquila y en silencio toque música suave mientras los niños entran al aula. Invíteles a sentarse en un círculo y a estar en silencio. Pídales respirar profundamente, despacio y pronunciar el nombre de Jesús. Tome un minuto o dos para rezar.

❖ Pídale abrir el libro en las páginas 20–21 y mirar las fotografías mientras leen la poesía. Invítelos a hablar de su sonidos favoritos. Juntos terminen de leer la página 20. Tome unos minutos para las preguntas finales.

Presentación ___minutos

❖ Lea el primer párrafo de la página 22 para introducir el salmo. Invite a los niños a escuchar mientras usted, con gran expresión, lee el salmo. Luego deje que los niños lo lean, turnándose en cada línea.

Dé tiempo a los niños a compartir sus respuestas a las preguntas y para que se dibujen en la página 25. Anímelos a que se dibujen alabando a Dios. Ellos también pueden añadir otras cosas por las que quieran alabar a Dios.

Si el tiempo lo permite, rece el salmo nuevamente. Invite a los niños a hacer gestos relacionados con las fotografías.

❖ Lea el primer párrafo de la página 26. Pida a los niños hablar de lo que ven en las fotografías en las páginas 26–27. Invítelos a compartír sus pensamientos sobre lo que está pasando durante la Liturgia de la Palabra en la Misa. Refuerce la importancia de que escuchemos bien la palabra de Dios mientras se lee o es proclamada a nosotros.

Revise las respuestas en la página 28. Explique el significado de la palabra *lector*. Ayude a los niños a leer el Credo de Nicea en la página 101.

Conclusión ___minutos

❖ Hablen de lo que cada uno va a rezar en la Oración de los Fieles. Recalque que este es el momento en que la Iglesia reza por el mundo, nuestra parroquia, nuestras familias y por todo aquel en necesidad. Ayude a los niños a escribir sus oraciones en la página 30. Usted puede desarrollar esas ideas en peticiones para la Oración de los Fieles en la Misa de la Primera Comunión.

❖ Ayude a los niños a recortar el corazón que está en la parte final del libro y discutan la actividad Rezando y Escuchando. Después que hayan escrito sus ideas en sus corazones, invítelos a unir sus corazones a un hilo. Luego pida a los niños "levantar sus corazones" mientras cantan una canción de despedida. Exhiba los corazones en un lugar donde todos los puedan ver.

❖ Pida a los niños llevar sus libros a la casa y compartir la página 31 y el folleto número dos *Preparándome para Jesús*.

Plan for the Session

Beginning ___ min.

❖ To create a calm and soothing atmosphere, have instrumental music playing softly as the children come into the room. Invite them to sit around you in a circle and to be very still. Have them take deep, quiet breaths and, as they exhale, whisper the name of Jesus. Spend a minute or two on this prayer.

❖ Now have the children open their books to pages 20 and 21 and look at the pictures as you read the poem. Invite them to talk about their favorite sounds. Then read page 21 together. Spend a few minutes on the closing questions.

Middle ___ min.

❖ Read the first paragraph on page 22 to introduce the psalm. Invite the children to show how well they can listen as you, with great expression, read the psalm. Then you might want to have the children read it, taking turns with each line.

Allow time for the children to share their responses to the questions on page 24. Then have the children draw themselves praising God on page 25. They may also add particular things they wish to praise God for.

If time allows, pray the psalm again. Invite the children to create gestures to go with the word pictures.

❖ Read the first paragraph on page 27. Have the children talk about what they see in the pictures on pages 26–27. Invite them to share their thoughts about what happens during the Liturgy of the Word at Mass. Stress how important it is that we listen well to God's word as it is read, or proclaimed, to us.

Go over the responses on page 29. Point out that the word *lector* means "reader." Help the children to read (Spanish only) Credo de Nicea on page 101.

End ___ min.

❖ Talk together about what each would like to pray for in the Prayer of the Faithful. Emphasize that this is the time we pray for our Church, our world, our parish community, our families, and people in need. Help the children write their prayers on page 30. You might want to develop these ideas into petitions for the Prayer of the Faithful at their First Communion Mass.

❖ Help the children cut out the heart in the back of their books and discuss the listener activity. After they have written their ideas on their hearts, invite them to attach the hearts to one long string. Then have the children "lift up their hearts" as they pray the closing prayer. Keep the string of hearts displayed where all can see them.

❖ Have the children take home their books to share with their families page 31 and booklet 2 on page 91.

3 Llevamos regalos

Referencia para el catequista

Después de escuchar la palabra de Dios y haber rezado por las necesidades de la Iglesia, el mundo y de nuestra parroquia empezamos la Liturgia de la Eucaristía. Movemos nuestra atención al altar, la mesa del Señor y "centro de toda la Liturgia Eucarística" (*Instrucción general del Misal Romano*, #49). El sacerdote, quien preside la asamblea eucarística, acepta nuestros regalos de pan y vino, los mismos regalos que Jesús usó en la Ultima Cena.

Nuestra Eucaristía tiene sus raíces en la actividad salvadora de Dios. Tiene su origen en la celebración judía de la pascua, celebración que conmemora la liberación de Israel de Egipto. En la Eucaristía celebramos y recordamos el sacrificio de Jesús, su "paso" de la muerte a la vida. Se nos recuerda el significado de nuestros regalos de pan y vino por las palabras del sacerdote durante el momento de la preparación: "Acepta, Señor, nuestro corazón contrito y nuestro espíritu humilde; que este sea hoy nuestro sacrificio y que sea agradable a tu presencia".

Sugerencias

Esta lección familiarizará a los niños con las oraciones y ritos de la Liturgia de la Eucaristía. Asegúrese de recalcar los signos del sacramento, el pan y el vino que se convierten en el Cuerpo y la Sangre de Cristo. Hable con los niños de la cantidad de granos de trigo que se necesitan para hacer un pan y la cantidad de uvas necesarias para hacer el vino. En la Eucaristía nos hacemos uno con Cristo y los demás.

Para niños con necesidades especiales

Es importante alabar a los niños con necesidades especiales cuando hacen algo bien.

Necesidades visuales
❖ colaboración para colorear actividades

Necesidades auditivas
❖ audífonos, cinta grabada con las respuestas de la misa

Necesidades motoras y de tacto
❖ ayuda para preparar el folleto número tres y el grabado del altar que se encuentra al final del libro.

Recursos

We Celebrate Jesus Within Our Eucharist (video)
Brown–ROA
2460 Kerper Blvd.
P. O. Box 539
Dubuque, IA 52004–0539
(1–800–922–7696)

The Little Grain of Wheat (video)
Treehaus Communications, Inc.
P. O. Box 249
Loveland, OH 45140–0249
(1–800–638–4287)

Materiales para esta lección
❖ marcadores y creyones
❖ grabado para recortar (opcional)

3 We Give Gifts

Adult Background

Having heard the word of God and prayed together for the needs of the Church, the world, and our own parish community, we begin the Liturgy of the Eucharist. We shift our focus from the lectern to the altar—the table of the Lord and "the center of the whole eucharistic liturgy" (*General Instruction of the Roman Missal*, #49). The priest who presides over the eucharistic assembly accepts our gifts of bread and wine— the same gifts that Jesus used at the Last Supper.

Our Eucharist has roots in God's saving activity among His people. It is rooted in the celebration of the Jewish Passover meal—a memorial of Israel's release from slavery in Egypt. In the Eucharist, we remember and celebrate the sacrifice of Jesus—His "passing over" from death to new life. We are reminded of the significance of our gifts of bread and wine by the words of the priest during this preparation time: "Lord God, we ask you to receive us and be pleased with the sacrifice we offer you with humble and contrite hearts."

Preparation Hints

This session will familiarize the children with the prayers and rites of the Liturgy of the Eucharist. Be sure to emphasize the signs of the sacrament, the bread and wine that become the Body and Blood of Christ. Talk with the children about the many grains that make up the bread and the many grapes that make up the wine. In the bread and wine, they become one. In the Eucharist, we become one with Christ and one another.

Special-Needs Child

It is especially important to "catch" special-needs children doing *right* and to praise them for it.

Visual Needs
❖ peer helper to assist with coloring activity

Auditory Needs
❖ headphones, tape recording of Mass responses

Tactile-Motor Needs
❖ assistance in making booklet 3 and the Mass cutout

Resources

We Celebrate Jesus Within Our Eucharist (video)
Brown–ROA
2460 Kerper Blvd.
P.O. Box 539
Dubuque, IA 52004–0539
(1–800–922–7696)

The Little Grain of Wheat (video)
Treehaus Communications, Inc.
P.O. Box 249
Loveland, OH 45140–0249
(1–800–638–4287)

Materials for This Session
❖ markers or crayons
❖ Mass cutout (optional)

Planificación de la lección

Nota: Quizás quiera tomar tiempo durante esta sesión para que los niños trabajen en el grabado para recortar sobre el altar que se encuentra en la parte atrás del libro. Pídale nombrar los objetos que ven en el santuario. Continúe usando este grabado como recurso visual durante todo el programa.

Introducción ___ minutos

❖ Pida a los niños leer con usted el párrafo al principio de la página 32. Invite a una discusión acerca de las fotografías. Luego haga las preguntas y anímelos a contestar. Lea el tercer párrafo de la página 32.

Invite a los niños a sugerir regalos que pueden hacer a Dios. Pida a los niños identificar algunos de los regalos en las fotografías. Recuérdeles que Jesús dijo que lo que hagamos por otros también lo hacemos por él. Después presente la historia bíblica leyendo el párrafo final.

Presentación ___ minutos

❖ Dé tiempo a los niños para mirar la foto en la página 35. Pregunte:

- ¿A quién ven en la fotografía?
- ¿Qué creen que Jesús está diciendo?

Invite a los niños a imaginarse en la foto al tiempo que lee la historia bíblica en las páginas 34 y 36.

❖ Pida a los niños decir lo que escuchan a Jesús decir en la historia. Luego lea el resto de la página 36. Refuerce que Dios nos ama mucho El nos dio el regalo de su Hijo. Pida a los niños rezar la oración que está en la página 37.

❖ Pregunte a los niños que regalos ofrecemos a Dios durante la Misa para darle gracias. Escriba la palabra *Eucaristía* y ayude al grupo a entender el significado de "dar gracias". Hable con los niños acerca del significado de la palabra *sacrificio*. Luego lean la página 38. Pida a los niños mirar la foto. Pídale señalar los regalos de pan y vino.

❖ Revise en la página 40 las respuestas que damos durante la preparación de las Ofrendas. Anime a los niños a practicarlas en la casa y a unirse a la comunidad parroquial respondiendo en la Misa esta semana.

Conclusión ___ minutos

❖ Haga la primera pregunta en la página 42. Ayude a los niños a identificar a Jesús en la Eucaristía como el mayor de los regalos.

Lea la siguiente pregunta para introducir la actividad. Luego, pida a los niños terminar las ventanas. Cuando todos hayan finalizado, por turnos, invítelos a mostrar sus ventanas. Luego recen juntos: "Bendito seas por siempre, Señor".

Termine la sesión animando a los niños a elegir una obra de amor para hacer esta semana. Invite a cada niño a decir lo que decidió hacer.

❖ Pida a los niños llevar sus libros a la casa y compartir la página 43 y el folleto número tres *Preparándome para Jesús.*

Plan for the Session

Note: You might want to set aside time during this session to have the children work on the Mass cutout in the back of the book. Have them name the objects they see in the sanctuary. Continue to use this cutout as a visual resource throughout the program.

Beginning ___ min.

❖ Have the children read the opening paragraph on page 33 with you. Invite a discussion about the pictures in the large gift box. Then ask the question and encourage responses.

Read the next paragraph and invite the children to suggest gifts they can give to God. Have the children identify some of these gifts in the pictures. Remind them that Jesus said that whatever we do for others, we do for Him. Then introduce the gospel story by reading the last paragraph.

Middle ___ min.

❖ Allow time for the children to look at the picture on page 35. Ask:

• Whom do you see in the picture?

• What do you think Jesus might be saying?

Then invite them to imagine themselves in the picture as you read the Scripture story on pages 34 and 36.

❖ Ask the children to tell what they heard Jesus saying in the story. Then read the rest of page 36. Stress that God loves us so much He gave us the gift of His Son. Invite the children to quietly and reverently pray the prayer on page 37.

❖ Ask the children what gifts we offer God at Mass to say thank you. Display the word *Eucharist* and help the group understand its meaning—"giving thanks." Talk with the children about the meaning of the word *sacrifice.* Then read page 39 together. Have the children look at the pictures. Ask them to point out the gifts of bread and wine.

❖ Go over, on page 41, the responses we make during the Preparation of the Gifts. Encourage the children to practice these at home and to join their parish community in responding at Mass this week.

End ___ min.

❖ Ask the first question on page 42. Help the children identify Jesus in the Eucharist as our greatest gift.

Read the next question to introduce the activity. Then have the children complete their stained-glass windows. When all are finished, invite them to show their windows in turn. Then pray together, "Blessed be God forever."

Close the session by encouraging the children to choose an act of love they will do this week. Invite each child to tell what he or she has decided to do.

❖ Have the children take home their books to share with their families page 43 and booklet 3 on page 93.

4 Recordamos

Punto de referencia

Catecismo de la Iglesia Católica
❖ 1353, 1354

Referencia para el catequista

La oración eucarística es el "punto central y el momento culminante de toda la celebración" *(Instrucción general del Misal Romano, #54)*. La palabra *eucaristía* significa "dar gracias". En la oración eucarística el sacerdote ofrece la oración por toda la comunidad. Todas las oraciones eucarísticas aprobadas contienen los siguientes elementos:

Ofrecemos nuestra acción de gracias al Padre por todo lo que ha hecho por nosotros, especialmente por el regalo de su Hijo, Jesucristo. Juntos aclamamos, alabamos y adoramos. Pedimos a Dios que envíe el poder del Espíritu Santo sobre nuestras ofrendas. Se repiten las palabras y acciones de Jesús durante la última cena por el sacerdote en la consagración de la misa. Al contemplar este memorial, recordamos y nos unimos al sacrificio de adoración y acción de gracias.

Ofrecemos al Padre el "pan de vida y cáliz de salvación". Pedimos a Dios que recuerde a la Iglesia en todo el mundo, a los que nos guían en la fe y a todos los que se "durmieron en la esperanza de la resurrección". Finalmente la Oración Eucarística termina con el himno de alabanza a Dios por su hijo y en el Espíritu Santo. Nuestra respuesta es "Amén"— "creemos".

Sugerencias

Esta lección ayuda a los niños a entender y a apreciar que nuestros regalos de pan y vino se convierten en Jesús mismo. Tenga presente al hablar con los niños, que la estructura básica de la acción eucarística es tomar, bendecir, partir, comer y beber.

Este podría ser un momento ideal para visitar el Santísimo Sacramento con los niños. El Santísimo Sacramento se guarda, o reserva, en el tabernáculo en un lugar especial en la iglesia. La lámpara del santuario es un una vela especial que se mantiene siempre encendida en el tabernáculo. Esta luz nos recuerda la presencia de Jesús. Recen todos a Jesús presente en el Santísimo Sacramento. Exhorte a los niños a vivir la Eucaristía pensando en los demás y compartiendo con ellos.

Para niños con necesidades especiales

Estos niños necesitan cortos períodos de receso para moverse. Puede hacer de estos una actividad de grupo.

Necesidades visuales
❖ respuestas de la Misa en letras grandes

Necesidades auditivas
❖ audífonos, cinta con lecturas bíblicas y respuestas de la Misa

Necesidades motoras y de tacto
❖ ayuda para la preparación del folleto número cuatro *Preparándome para Jesús*

Recursos

A Child's First Communion (video)
Liguori Publications
One Liguori Drive
Liguori, MO 63057–9999
(1–800–325–9512)

Materiales para esta lección

❖ *Songs: First Eucharist*, cinta grabada o CD de Sadlier
❖ papel rayado
❖ marcadores y creyones

4 We Remember

Adult Background

The eucharistic prayer is "the center and summit of the entire celebration" of the Mass (*General Instruction of the Roman Missal*, #54). The word *eucharist* means "giving thanks." In the eucharistic prayer the priest offers the prayer of the whole community. All of the approved eucharistic prayers contain the following common elements:

We offer our thanksgiving to the Father for all that He has done for us, especially for the gift of His Son, Jesus Christ. We join together in acclamations of praise and worship. We call upon God to send forth the power of the Holy Spirit over our gifts. The words and actions of Jesus from the Last Supper are repeated by the priest at the consecration of the Mass. In contemplating this memorial, we remember and join ourselves to the sacrifice of praise and thanksgiving.

We offer to the Father "this life-giving bread, this saving cup," and we ask God to remember the entire Church all over the world, those who guide us in faith, and those who have "gone to their rest in the hope of rising again."

Finally, the Eucharistic Prayer culminates with the doxology, or prayer of praise, to the Father, through the Son, and in the Spirit. Our resounding response is "Amen!"—"We believe!"

Preparation Hints

This session helps the children understand and appreciate that our gifts of bread and wine become Jesus Himself. As you talk with the children, keep in mind that the basic structure of the eucharistic action is taking, blessing, breaking, eating, and drinking.

This would be an ideal time to make a visit to the Blessed Sacrament with the children. The Blessed Sacrament is usually kept, or reserved, in the tabernacle in a special place in the church. A special light called the sanctuary lamp is always kept burning near the tabernacle. The burning lamp reminds us that Jesus is present. Pray together to Jesus present in the Blessed Sacrament. Encourage the children to live the Eucharist by thinking of others and sharing with them.

Special-Needs Child

Some mainstreamed children may need a short break in order to stretch or move around. You might want to make this a group activity.

Visual Needs
❖ enlargement of Mass responses

Auditory Needs
❖ headphones, tape of the Bible reading and Mass responses

Tactile-Motor Needs
❖ peers to assist in making booklet 4

Resources

A Child's First Communion (video)
Liguori Publications
One Liguori Drive
Liguori, MO 63057–9999
(1–800–325–9521)

Materials for This Session

❖ Sadlier's *Songs: First Eucharist* cassette or CD
❖ sheets of lined paper
❖ markers or crayons

Planificación de la lección

Introducción ___ minutos

❖ Pida a los niños leer el título en la página 44. Pida al grupo explicarle el significado de la palabra *recordar*. Lea los dos primeros párrafos y luego háblele de las fotografías en las páginas 44 y 45. Presente la historia bíblica leyendo el resto de la página.

Presentación ___ minutos

❖ Lea en voz alta los dos primeros párrafos de la página 46. Pida a los niños mirar la ilustración en la página 47. Luego invítelos a compartir sus ideas sobre lo que ellos ven en la foto e imaginar lo que está pasado. Luego despacio y con reverencia explique o lea la historia de la Ultima Cena.

Lea los dos primeros párrafos en la página 48. Recalque que en la Eucaristía Jesús se da a sí mismo a nosotros. Recordamos ese regalo y damos gracias por su muerte y resurrección salvadoras. Haga la última pregunta e invite a los niños a reflexionar en la fotografía de la página 49.

❖ Si el tiempo lo permite, invite a los niños a mirar nuevamente las ilustraciones de la Ultima Cena. Luego dé a cada uno una hoja de papel rayado.

Pídale escribir una nota corta a Jesús diciéndole como se sienten acerca de su regalo a nosotros en la Eucaristía y como ellos le van a recordar. Toque música suave mientras trabajan. Si quiere puede guardar esas notas para llevarlas en la procesión del Ofertorio en la Misa de la Primera Comunión.

❖ Pida a los niños mirar las fotos en las páginas 50–51. Pida a un voluntario decir lo que ve en cada fotografía. Luego lea los primeros dos párrafos en voz alta. Pregunte: "¿Qué pasa durante la consagración en la Misa?"

❖ Si quiere puede enseñar a los niños una canción o una proclamación de fe (por ejemplo "Anunciamos tu muerte"). Anime a los niños a que la practiquen esta semana en la Misa. Lean juntos el resto de la página 50. Luego pídale que se turnen para decir en voz alta y con claridad; "Amén. Sí, yo creo".

❖ Pida a los niños mirar la página 52. Con cuidado, repasen las respuestas que damos durante la Oración Eucarística. Tome unos minutos para enseñarles el Santo. Exhórtelos a contestar en la Misa esta semana.

Conclusión ___ minutos

❖ Dé tiempo para que los niños se cuenten la historia de la Ultima Cena.

Dirija la atención a la oración en la página 54. Invite a los niños a leerla y a escribir sus nombres para hacer su propia oración. Toque una canción mientras los niños decoran su oración. Quizás alguien quiera cantar. Para terminar la sesión, recen una oración y canten una canción.

❖ Pida a los niños llevar a la casa el libro para compartir con la familia el folleto número cuatro *Preparándome para Jesús*. Recuerde a los niños tratar de hacer la actividad *En la casa* junto con la familia.

Plan for the Session

Beginning ___ min.

❖ Write the word *remember* on the board. Ask the group to tell what the word *remember* means. Read the first two paragraphs and then talk about the pictures on pages 44–45. Read the rest of the page to introduce the Bible story.

Middle ___ min.

❖ Read aloud the first two paragraphs on page 46. Have the children take a few minutes to look at the illustration on page 47. Then invite them to share their ideas about what they see in the picture and to imagine what is happening. Then slowly and reverently tell or read the story of the Last Supper.

Read the first two paragraphs on page 48. Emphasize that in the Eucharist Jesus gives Himself to us. We remember that gift and we remember and give thanks for His saving death and resurrection. Ask the last question and invite the children to quietly reflect on the picture on page 49.

❖ If time allows, invite the children to look again at the illustration of the Last Supper. Then give each one a sheet of lined paper. Ask them to write a short note to Jesus telling Him how they feel about the gift He gave us in the Eucharist or how they will

remember Him. Play music softly as they work. You may wish to save these notes to be carried in the Offertory procession at the children's First Communion Mass.

❖ Now have the children look at the pictures on pages 50–51. Ask for volunteers to tell what they see in each picture. Then read the first two paragraphs aloud on page 51. Ask: "What happens at the consecration of the Mass?"

❖ You might wish to teach the children a sung response as a proclamation of faith (for example, use the cassette or CD, Sadlier's *Songs: First Eucharist*, "Christ Has Died"). Encourage them to join in the proclamation of faith at Mass this week. Read the rest of page 51 together. Have them take turns saying loudly and clearly "Amen. Yes, I believe!"

❖ Have the children carefully go through the responses we make during the Eucharistic Prayer on page 53. Spend a few minutes teaching them the "Holy, holy, holy Lord." Encourage them to join the parish community in these responses at Mass.

End ___ min.

❖ Allow time for partners to tell each other the story of the Last Supper.

Call attention to the prayer on page 54. Invite the children to read the prayer and write their names to make it their own. You might want to play quiet background music as the children decorate their prayer. To end the session, pray the prayer.

❖ Have the children take home their books to share with their families page 55 and booklet 4 on page 95.

5 Recibimos a Jesús

Punto de referencia

Catecismo de la Iglesia Católica
❖ 1364, 1365, 1386, 1416, 1417

Referencia para el catequista

Las acciones de la misa corresponden a lo que, en la última cena, Jesús nos pidió hacer. El "tomó pan, dio gracias, lo partió y lo dio a sus discípulos" (Marcos 14:22). En este momento de la Liturgia Eucarística, "tomado" y "bendecido" el pan lo partimos y compartimos en nuestra comunión, nos hacemos uno con Cristo.

La señal de partir el pan es una parte integral de la misa y muy importante para nuestra comunidad. Recordamos en el Evangelio de Lucas que los discípulos, camino a Emaús, sólo reconocieron al Cristo resucitado "al partir el pan" (Lucas 24:35). Como nos recuerdan las *Instrucciones Generales del Misal Romano* (#56), ". . . en los tiempos apostólicos fue el que sirvió para denominar a la íntegra acción Eucarística. Este rito no sólo tiene una finalidad práctica, sino que significa además que nosotros, que somos muchos, en la comunión de un solo cuerpo".

Recuerde que la Sagrada Eucaristía es el centro de nuestra fe, como comunidad de hermanos en Cristo nos reunimos para celebrar y participar en la conmemoración de la última cena de Jesucristo. Cristo en la Eucaristía es el corazón de nuestra fe que nos une en su cuerpo.

La Iglesia nos recomienda comulgar cada vez que celebremos la Eucaristía, recordando que debemos estar en estado de gracia (libres de pecado mortal). Todo católico está obligado a comulgar por lo menos una vez al año.

"El pan que Dios da es el pan que da vida al mundo" (Tomado de Juan 6:33).

Sugerencias

Asegúrese de que los niños entienden que pueden recibir la comunión en la mano o en la boca. Practique con los niños las dos formas de recibir la comunión antes de que elijan la forma en que van a comulgar. Permita a los niños experimentar ambas, forma antes de tomar la decisión.

Señale los maravillosos efectos del sacramento: la comunión nos une a Jesús, perdona los pecados veniales nos ayuda a evitar los pecados serios y nos fortalece como miembros de la Iglesia.

Para niños con necesidades especiales

Al dar las instrucciones, primero logre la atención de los niños con necesidades especiales. Asegúrese de dar las direcciones despacio y paso a paso. Repita las instrucciones.

Necesidades visuales
❖ las respuestas de la misa en letras grandes

Necesidades auditivas
❖ audífonos, cinta grabada con las respuestas de la misa y *Como recibir la Comunión*

Necesidades motoras y de tacto
❖ ayuda para preparar el folleto número cinco

Recursos

First Eucharist (video)
St. Anthony Messenger and Franciscan Communications
1615 Republic Street
Cincinnati, OH 45210
(1–800–488–0488)

Materiales para esta lección

❖ *Songs: First Eucharist*, cinta grabada o CD de Sadlier

5 We Receive Jesus

Point of Reference

Catechism of the Catholic Church
❖ 1364, 1365, 1386, 1416, 1417

Adult Background

The actions of the Mass correspond to what Jesus asked us to do at the Last Supper. He "took a piece of bread, gave a prayer of thanks, broke it and gave it to His disciples" (Mark 14:22). At this point in the eucharistic liturgy, having "taken bread" and "said the blessing," we now come to the breaking of the bread and the sharing of the one bread in our communion, our coming together as one in Christ.

This sign of the breaking of the bread is an integral part of the Mass and important for our community. We recall in the Gospel of Luke that the disciples on their way to Emmaus recognized the risen Christ only "when He broke the bread" (from Luke 24:35). As the *General Instruction of the Roman Missal* (#56) reminds us, ". . . in apostolic times, this gesture of Christ at the Last Supper gave the entire eucharistic action its name. This rite is not simply functional, but is a sign that in sharing in the one bread of life which is Christ we who are many are made one body."

The Church urges us to receive Holy Communion every time we celebrate the Eucharist, remembering that we must be in the state of grace (free from mortal sin). All Catholics are obliged to receive Holy Communion at least once a year.

"For the bread that God gives is he who gives life to the world" (based on John 6:33).

Preparation Hints

Make sure the children fully understand that they may receive Communion either in the hand or on the tongue. Take time to practice receiving Holy Communion with the children. Let them experience both ways before making their choices.

Point out the wonderful effects of the sacrament: Holy Communion draws us into union with Jesus; it actually forgives our venial sins; it helps us avoid serious sin in our lives, and strengthens us as members of the Church.

Special-Needs Child

When giving directions, first gain the special-needs child's attention. Make sure you give the directions slowly, one step at a time. Then quietly repeat the directions.

Visual Needs
❖ enlargement of Mass responses

Auditory Needs
❖ headphones, tape recording of Mass responses and *How to Receive Holy Communion*

Tactile-Motor Needs
❖ peer helper to assist in making booklet 5

Resources

First Eucharist (video)
St. Anthony Messenger and Franciscan Communications
1615 Republic Street
Cincinnati, OH 45210
(1–800–488–0488)

Materials for This Session

❖ Sadlier's *Songs: First Eucharist* cassette or CD

Planificación de la lección

Introducción ___ minutos

❖ Mientras los niños entran toque música suave. Luego invite al grupo a rezar. Pida a los niños mirar la fotografía en las páginas 56–57. Invítelos a imaginar que ellos están en la escena con Jesús. Lea la página 56. Antes de rezar el Padre Nuestro, pida a los niños responder despacio, "Señor, enséñanos a orar".

Presentación ___ minutos

❖ Pida a los niños leer los primeros dos párrafos de la página 58. Pregúnteles cuando empieza el momento de la comunión en la Misa. Continúen leyendo los dos párrafos siguientes.

❖ Describa lo que está pasando en las fotos. Señale la primera foto donde la gente está rezando el Padre Nuestro. Después miren lo que está pasando en la segunda foto, invite a los niños a mostrar como nos damos el saludo de la paz en la Misa.

❖ Mientras lee el último párrafo en la página 58, pida a los niños mirar la foto del sacerdote partiendo la hostia grande.

Si es posible, muestre a los niños una hostia grande sin consagrar o un pedazo plano de pan (pan de pita). Parta el pan. Comparta los pedazos, si le parece apropiado, pero asegúrese de que los niños entiendan que no es una hostia consagrada.

❖ Lea el primer párrafo de la página 60. Explique que en tiempos de Jesús la gente frecuentemente ofrecía un cordero como sacrificio para mostrar a Dios que ellos estaban arrepentidos de sus pecados. Dios dio a su único Hijo, Jesús, como un sacrificio por los pecados del mundo. Es por eso que llamamos a Jesús el "Cordero de Dios".

❖ Lea el tercer párrafo. Si el tiempo lo permite, cuente la historia de la curación del sirviente del soldado romano (Vea a Lucas 7:1–10). Luego lean juntos la oración que decimos en la Misa antes de recibir la Sagrada Comunión. Explíqueles el significado del ayuno eucarístico.

❖ Lea la página 62 junto con los niños. Tome tiempo para que los niños practiquen como comulgar. (Ver páginas 68 y 70). Refuerce la importancia de responder "Amén" antes de recibir. Señale que ese es el momento en que ellos dirán en voz alta que creen que verdaderamente están recibiendo a Jesús.

❖ Refuerce la comprensión que los niños tienen de la Comunión de la Misa y su papel en ella animándoles a aprender las respuestas en la página 64.

❖ Pida a los niños pasar a las oraciones de la comunión en la página 103. Señale que esas u otras oraciones similares pueden decirse antes y después de la comunión.

Conclusión ___ minutos

❖ Invite a los niños a aprender las respuestas en la página 66. Luego ayude a los niños a terminar *Mi Oración de Comunión*.

❖ Si quiere puede pedir a los niños llenar la invitación a la Primera Comunión, *Ven a celebrar conmigo*, en la página 105. Pídale llevar la invitación a la casa y con ayuda de la familia enviarla a una persona especial.

❖ Pida a los niños llevar sus libros a la casa y compartir la página 67 y el folleto número cinco *Preparándome para Jesús*.

Plan for the Session

Beginning ___ min.

❖ As the children enter, have music playing softly. Then call the group to prayer. Have the children look at the picture on pages 56–57. Invite them to imagine that they are in the scene with Jesus. Read page 57. Before praying the Our Father, have the children say softly, "Lord, teach us to pray."

Middle ___ min.

❖ Have the children read with you the first two paragraphs on page 59. Ask the children to tell when the Communion time of the Mass begins. Continue reading the next two paragraphs together.

❖ Talk about what is happening in the pictures. Point out the first photo in which the people are praying the Our Father. After looking at what is happening in the second photo, invite the children to show how we extend the greeting of peace at Mass.

❖ As you read the last paragraph on page 59, have the children look at the picture of the priest breaking the large host.

If possible, show the children a large unconsecrated host or a piece of flat bread (like pita bread). Break the bread. Share the pieces, if it seems appropriate, but make sure the children understand that it is *not* the consecrated Host.

❖ Read the first paragraph on page 61. Explain that in Jesus' time people often offered a lamb as a sacrifice to show God that they were sorry for their sins. God gave His only Son Jesus as a sacrifice for the sins of the world. That is why we call Jesus the "Lamb of God."

❖ Read the second paragraph. If time allows, tell the story of the healing of the Roman soldier's servant (see Luke 7:1–10). Then read together the prayer we say at Mass before receiving Holy Communion. Talk about the meaning of the eucharistic fast.

❖ Read page 63 together. Take time having the children practice receiving Holy Communion. (See pages 69 and 71.) Stress the importance of responding "Amen" before receiving. Point out that it is a moment for them to say aloud that they believe it is truly Jesus whom they are receiving.

❖ Reinforce the children's understanding of the Communion of the Mass and their part in it by encouraging them to learn the responses on page 65.

Have the children turn to the Communion prayers, in Spanish only, on page 103. Point out that these or similar prayers may be used during the quiet time before and after Communion.

End ___ min.

❖ Invite responses to the two questions on page 66. Then help the children to finish *My Communion Prayer*.

❖ You might want to have the children complete the First Communion invitation, *Ven a celebrar conmigo*, in Spanish only, on page 105. Ask them to take the invitation home and, with family help, send it to a special person.

❖ Have the children take home their books to share with their families page 67 and booklet 5 on page 97.

6 Jesús está siempre con nosotros

Punto de referencia

Catecismo de la Iglesia Católica
❖ 1396, 1397

Referencia para el catequista

Esta lección final del programa de preparación para la Primera Comunión es un momento significativo para usted como catequista. Por medio de su ministerio, usted ha llevado a los niños a una nueva experiencia de fe. Por primera vez, ellos se van a reunir alrededor de la mesa del Señor y van a compartir la comunión con usted, sus familiares, la comunidad parroquial y la Iglesia universal. Ellos inician una vida que será alimentada con el Pan de Vida, Jesucristo.

Los niños vendrán una y otra vez durante sus vidas a celebrar la Eucaristía como miembros de la Iglesia. Serán alimentados con el Pan de Vida, ellos serán enviados cada vez a compartir y promover la paz de Cristo al servir a los demás. Al aprender por medio de la Eucaristía a "dar gracias", ellos compartirán sus recursos con los necesitados, serán señales de fe y esperanza para otros.

Se espera que este haya sido un tiempo de crecimiento espiritual también para usted. Tome un momento para dar gracias a Dios por darle la oportunidad de participar en este ministerio y el regalo que estos niños han sido para usted.

Sugerencias

Esta lección ayuda a los niños a entender como la Misa continúa en sus vidas después de salir de la iglesia. Exhórtelos a reflexionar con frecuencia durante la semana en la necesidad de vivir el regalo de ellos mismos que hacen en la Misa. Pida a los niños compartir lo que harán y coloque esas sugerencias en un lugar especial para que lo recuerden.

Para niños con necesidades especiales

Reafirmar los talentos y dones de cada niño, alabarlos por lo que son.

Necesidades visuales
❖ patena, hostia, un cáliz para que los niños puedan ver y tocar

Necesidades auditivas
❖ una cinta grabada con las respuestas de la Misa

Necesidades motoras y de tacto
❖ ayuda para recortar la linterna que está al final del libro

Recursos

Jesús Comes to Us (video)
Brown–ROA
2460 Kerper Blvd.
P. O. Box 539
Dubuque, IA 52004–0539
(1–800–922–7696)

Special Things, Special Seasons, Special Days (video)
Our Sunday Visitor
200 Noll Plaza
Huntington, IN 46750
(1–800–348–2440)

Materiales para esta lección
❖ grabado para recortar (linterna)
❖ *Songs: First Eucharist,* cinta grabada o CD de Sadlier

6 Jesus Is With Us Always

Point of Reference *Catechism of the Catholic Church* ❖ 1396, 1397

Adult Background

This final session in the First Eucharist preparation program is a significant moment for you as a catechist. Through your ministry, you have brought the children to a new experience of faith. For the first time, they will gather around the table of the Lord, and will share in the Eucharist with you, with their families, with the entire parish community, and with the universal Church. They will begin a lifetime of being nourished with the Bread of Life, Jesus Christ.

The children will return again and again throughout their lives to celebrate the Eucharist with members of the Church. Nourished by the Bread of Life, they will be sent forth each time to share and promote Christ's peace through loving service of others. Having learned through the Eucharist to "give thanks," they will share their resources with those in need; they will become signs of faith and hope to others.

It is hoped that this has been a time of spiritual growth for you as well. Take a moment to thank God for the gift of your ministry and for the gift that these young children have been to you.

Preparation Hints

This session helps the children to understand how the Mass continues in their lives after they leave church. Encourage them to reflect often during the week on the need to live out the gift of themselves they made at Mass. Have the children share what they might do and post these suggestions in a special place as a reminder.

Special-Needs Child

Affirm the children for who they are and for their many gifts and talents.

Visual Needs
❖ paten, host, and chalice for child to see and touch

Auditory Needs
❖ tape recording of Mass responses

Tactile-Motor Needs
❖ assistance in cutting out lantern

Resources

Jesus Comes to Us (video)
Brown–ROA
2460 Kerper Blvd.
P.O. Box 539
Dubuque, IA 52004–0539
(1–800–922–7696)

Special Things, Special Seasons, Special Days (video)
Our Sunday Visitor
200 Noll Plaza
Huntington, IN 46750
(1–800–348–2440)

Materials for This Session

❖ lantern cutout
❖ Sadliers *Songs: First Eucharist* cassette or CD

Planificación de la lección

Introducción ___ minutos

❖ Lea en voz alta la página 72 y examine junto con los niños las fotografías. Discutan como los niños en las fotos están compartiendo la felicidad. Luego invite al grupo a pensar en formas en que pueden compartir su felicidad con otros. Pida a los niños escribir una idea en la raya. Reúnanse en un círculo y que cada niño exprese una obra de amor que piensa hacer. Juntos canten una canción.

Presentación ___ minutos

❖ Tome unos minutos para permitir a los niños mirar la ilustración en la página 75. Pregunte:

- ¿Qué ven en la ilustración?
- ¿Qué hora del día piensa que es? ¿Por qué?
- ¿Qué está haciendo la madre?
- Si no hubiera una vela ¿cómo se vería la foto?

❖ Ahora lea la historia bíblica en voz alta. Si es posible tenga una linterna. Enciéndala y cúbrala con una caja. Lleve al grupo a la conclusión de que la luz no nos ayuda si está escondida.

❖ Pida voluntarios para leer "somos luces" en la página 76. Ayúdeles a ver que su "luz" no ayudará a nadie si no es compartida. Pídale mirar la ilustración en la página 75 y pregunte: "¿Cómo la señora está siendo una luz para el hombre en la puerta?" (ella está compartiendo la comida con él). Luego exhorte para que cuando reciban a Jesús en la Sagrada Comunión le pidan les ayude a compartir su luz con otros. Invite a los niños a completar la actividad en la página 77.

❖ Pida a los niños mirar las páginas 78–79 y hablen de lo que está pasando. Luego lea la página 78. Revise el significado de la señal de la cruz y practíquela con los niños. Recuérdeles que hacemos la señal de la cruz cuando el sacerdote nos bendice. Verifique si saben el significado de la palabra "Amén". Pídale que subrayen las palabras "podéis ir en paz". Luego revisen las respuestas de la Misa en la página 80.

Conclusión ___ minutos

❖ Invite a los niños a recortar la literna que está al final del libro. Luego pídale quedarse en silencio y pensar en como tratarán de ser "luz" para los demás esta semana. Como señal de que han tomado una decisión pídale escribir su nombre en la literna.

❖ Reunidos en un círculo para orar pida a los niños sostener sus linternas. Recen la oración en la página 82 frase por frase e invite a los niños a repetirla después de usted. Luego permita a los niños poner sus linternas en un lugar visible que le permita recordar su decisión. De nuevo reúnanse en un círculo y recen el Padre Nuestro para finalizar la sesión.

❖ Dirija la atención de los niños a la actividad *Recuerdos de mi Primera Comunión* en la página 107. Explíqueles que la completarán después del día de la Primera Comunión. Exhórtelos a pedir ayuda a los demás miembros de la familia.

❖ Pida a los niños llevar sus libros a la casa y compartir la página 83 y el folleto número seis *Preparándome para Jesús*.

Plan for the Session

Beginning ___ min.

❖ Read page 73 aloud and examine the pictures together. Discuss how the children in the photos are sharing happiness. Then invite the group to think of ways they can share happiness with others. Have them write one idea. Gather in a circle and have each child tell the act of love he or she will do.

Middle ___ min.

❖ Take a few minutes to allow the children to look at the illustration on page 75. Ask:

• What do you see in the picture?

• What time of day do you think it is? Why?

• What do you think the mother is doing?

• If there were no candle lit, what would the picture look like?

❖ Now read the gospel story aloud. If possible, have a flashlight. Turn it on, then cover it with a box. Lead the group to conclude that the light will not help us if it is hidden.

❖ Have volunteers read on page 76 how we can be like "shining lights." Help them to see that their "light" will not help anyone if it is not shared. Have them look at the illustration again on page 75 and ask, "How is the mother being a 'light' to the poor man at the door?" (She is sharing food with him.) Then encourage the children, when they receive Jesus in Holy Communion, to ask Him to help them share His light with others. Invite them to complete the activity on page 77.

❖ Have the children look at the pictures on pages 78–79 and talk about what they see happening. Then read page 79 together. Review the meaning of the sign of the cross and practice it with the children. Remind them that we make the sign of the cross when the priest blesses us. See if they can tell you what we mean when we say "Amen." Have them underline the words "Go in peace to love and serve the Lord." Then go over the Mass responses on page 81.

End ___ min.

❖ Invite the children to cut out the lantern in the back of their books. Then ask them to be very still and to think about one way they will try to be a "light" to others this week. As a sign that they have made a decision, have them write their names on their lanterns.

❖ Gather in a prayer circle. Have the children hold their lanterns up. Pray the prayer on page 82 phrase by phrase and invite the children to repeat it after you. Then let the children help you hang their lanterns in a place where they will see and remember their decision. Gather in the prayer circle again, hold hands, and pray the Our Father to close the session.

❖ Direct the children's attention to page 107, *Recuerdos de mi Primera Comunión* activity in Spanish only. Tell them that they will complete this after their First Communion day. Encourage them to ask family members for help.

❖ Have the children take home their books to share with their families page 83 and booklet 6 on page 99.

Rito de conclusión

Objetivo

Al igual que al inicio de la preparación se celebró un rito en presencia de la asamblea parroquial, también se termina con un *Rito de conclusión*. De nuevo los padres o tutores de los niños que van a hacer la Primera Comunión, participan solemnemente reconociendo la importancia de este paso que los niños han dado en su vida sacramental y espiritual. El rito, tiene lugar en el centro de la comunidad, reafirmado con la presencia de Jesús en la vida de los niños y enviados en su nombre. Se le da a los niños su certificado de Primera Comunión.

Momento para el rito

El momento más apropiado para este rito es durante la liturgia de la Primera Comunión, justo antes de la bendición final. Aunque hayan varios momentos disponibles para la celebración de la Primera Comunión en la parroquia, se debe dar seria consideración a la celebración de este sacramento durante una Misa regular, un domingo o un sábado en la tarde. Hable con el párroco sobre la preparación del *Rito de conclusión* en la Misa de la Primera Comunión. Copia del rito debe ser dada al párroco y al celebrante de la Misa. Adapte el rito al número de niños y a las posibilidades de la iglesia. Por ejemplo, quizás quiera sentar a los padres directamente *detrás* de los niños.

Participación de la comunidad parroquial

Es importante que el sacerdote celebrante o el catequista den a la asamblea una *breve* introducción del significado y propósito del rito, invitando a la comunidad a participar y a cantar la canción final.

Particpación de los padres o tutores

Asegúrese de que las familias están informadas por medio de una carta de su participación en el rito. Llámelos por teléfono unos días antes de la Primera Comunión. A menos que prefiera hacerlo en clase con los niños, pida a los padres ayudar a los niños a cortar la cruz que se encuentra al final del libro y tejer un cordón lo suficientemente largo para que pueda pasar por la cabeza del niño. Envíe copia del rito a cada familia y pida a los padres recordar a los niños llevar su libro y la cruz a la Misa de Primera Comunión. Pida a los padres llegar un poco temprano a la Misa para que puedan ser sentados y revisar el rito juntos.

Preparación con los niños

❖ Revise el rito con los niños. Explíqueles que las familias y la comunidad parroquial quieren apoyarles y rezar por ellos en este momento tan importante en sus vidas de fe.

❖ Muéstreles la cruz que está al final del libro. Ayude a los niños a recortarla y a poner el cordón. (Si desea tenga disponible la cruz de Sadlier). Como precaución puede guardar las cruces hasta el día de la ceremonia.

❖ Pida a los niños mirar el certificado que está en la parte atrás del libro. Leanlo juntos. Luego pídale que lo corte con cuidado. Recójalos y prepárelos para el rito.

❖ Revise la canción final. Tenga copias extras del rito y las cruces disponibles para la celebración.

Rito de Conclusión

Tomen la cruz que recortaron al final del libro y caminen hacia el altar junto a sus padres o tutores.

Guía: Apreciados niños, han [...] a Nuestro Señor Jesucristo [...] Sagrada Comunión. Que é[...] ustedes siempre.

Todos: Y con tu espíritu.

Guía: Recuerden siempre que [...] pertenecen a Jesucristo. Es[...] bautizados en su nombre. [...] recibido su cuerpo y sangre [...] que los fortalezca y puedan [...] como sus amigos. Como re[...] de su vida en Jesucristo, su [...] o tutores les podrán en el c[...] cruz, símbolo de nuestra fe[...]

Padres (al tiempo que ponen la cruz al niño digan)**:**

_____(Nombre)_____, pongo esta cruz [...]

84

Guía: Toda la Iglesia, especialmente nuestra parroquia, se alegra con ustedes. Cuando oigan su nombre, pasen a recoger su certificado de Primera Comunión.

Guía: Recuerden que Jesús estará con ustedes mientras van a amar y a servir a otros en su nombre. Vámonos en paz cantando.

Canción del testigo

♫ Por ti, mi Dios, cantando voy
la alegría de ser tu testigo,
Señor.
Es fuego tu palabra que mi boca
quemó,
mis labios ya son llamas y
ceniza mi voz.
Da miedo proclamarte pero Tú
me dices:
no temas, contigo estoy. ♫

85

A Sending Forth Rite

Purpose

Just as the time of preparation began with a celebratory rite in the presence of the parish assembly, so too does it close with this *Sending Forth Rite*. Again, the parents (or guardians) of the first communicants participate in solemnly recognizing the important step the children have taken in their sacramental and spiritual lives. The rite, taking place within the heart of the community, reaffirms with the children the ongoing presence of Jesus in their lives and sends them forth in His name. The children are given their First Communion certificates.

Scheduling the Rite

The appropriate time for this rite is within the liturgy for First Communion, just before the final blessing. And, although a variety of times are available for the celebration of First Communion in the parish, serious consideration should be given to celebrating this sacrament within a regular Sunday (or Saturday evening) Mass. Talk with the pastor about having the *Sending Forth Rite* within the First Communion Mass. Copies of the rite should be given to the pastor and to the celebrant of the Mass. Adapt the rite to the number of children involved and to the constraints and possibilities of your parish church. For example, you might wish to seat the parents directly *behind* their child.

Involvement of the Parish Community

It is important that the presiding priest or the catechist give the assembly a *brief* introduction to the meaning and purpose of the rite, inviting the community to participate and to sing the closing hymn.

Parent/Guardian Involvement

Make sure the families are fully informed by letter as to their participation in the rite. Follow this up with a phone call a few days before First Communion. Unless you would prefer to do this in class with the children, ask the parents to help the children cut out the cross in the back of the child's book and to thread a piece of yarn or string long enough to fit easily over the child's head. Send a copy of the rite to each family and ask the parents to remind the children to bring their books and the cross to the First Communion Mass. Ask the parents to come to Mass a little early so that you can arrange seating and go over the rite together.

Preparation with the Children

❖ Go over the rite with the children. Explain that their families and their parish community want to support and pray for them in this important moment in their life of faith.

❖ Show them the cross in the back of the book. Help the children cut it out and put a string or a piece of yarn through it. (Or if you wish, have available the sturdier, embossed cross Sadlier offers.) As a precaution you might want to hold on to the crosses until the celebration of the rite.

❖ Have the children look at the certificate in the back of their books. Read it together. Then have them carefully remove it. Collect the certificates for the rite.

❖ Go over the closing song. Have extra copies of the rite and the cross available at the Mass.

A Sending Forth Rite

Hold the cross that you have cut out from the back of the book. Walk to the altar with your parent or guardian.

Leader: Dear children, you have received Our Lord Jesus Christ in Holy Communion. May He be with you always.

All: And also with you.

Leader: Remember always that y belong to Jesus Christ. You ar baptized in His name. You hav now received His Body and Bl to nourish and strengthen you live as His friends. As a remin of your life in Jesus Christ, yo parent or guardian will place cross, a symbol of our faith, around your neck.

86

Parent (Places the cross around the child's neck, saying):

_____(Name)_____, I place this cross

Leader: The whole Church, especially our own parish, rejoices with you. As I call your name, come and receive your certificate of First Communion.

Leader: Remember, Jesus will be with you as you go forth to love and serve others in His name. Now let us all go in peace as we sing.

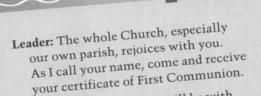

Let There Be Peace on Earth
Sy Miller and Jill Jackson

♪ Let there be peace on earth
and let it begin with me;
Let there be peace on earth,
The peace that was meant to be.

With God as our Father,
We are family.
Let us walk now together
in perfect harmony.

Let peace begin with me,
Let this be the moment now.
With ev'ry step I take,
Let this be my solemn vow.
To take each moment
and live each moment
in peace eternally.

Let there be peace on earth
and let it begin with me. ♪

87

Ven a mí: un día de retiro

Objetivo

Ofrecer a los niños que van a hacer la Primera Comunión, una experiencia en común del amor que Jesús tiene por ellos y ayudarles a escuchar en sus corazones, la llamada de Jesús: "Ven a mí". Adapte el proceso al tamaño del grupo.

Dirigentes

❖ Dirigentes de grupos: padres

❖ Dirigente de retiro: padre/catequista

Lugar

Si es posible, seleccione un lugar fuera del salón de clase. Debe ser lo suficientemente grande para alojar a todo el grupo. Se necesitarán otras aulas o "estaciones" para las actividades en grupos.

Grupos

❖ Cada grupo no debe ser de más de doce niños.

❖ Todos los niños reciben un marbete con su nombre. Los marbetes deben ser diferentes para identificar cada grupo. Los grupos irán de una actividad a otra, cada una se realiza en una estación diferente.

Modelo

Tiempo	Sol	Estrella	Ola	Caracol	Flor
30 min.	Bienvenida y apertura (todos los grupos juntos)				
25 min.	historia	música	merienda	pan	arte
25 min.	música	merienda	pan	arte	historia
25 min.	merienda	pan	arte	historia	música
25 min.	pan	arte	historia	música	merienda
25 min.	arte	historia	música	merienda	pan
25 min.	Oración final (todos los grupos juntos)				

Bienvenida

Prepare un ambiente tranquilo para la bienvenida. Toque música instrumental mientras los niños entran al aula. Invite al grupo a rezar juntos una corta oración preparada par este momento. Luego presente a los dirigentes de grupo y ofrezca un bosquejo del día.

❖ Escriba el nombre de los niños en tarjetas pre codificadas y póngalas en una caja grande. El primer niño saca una tarjeta y lee el nombre. El niño entrega la tarjeta diciendo: "Esta tarjeta es para (nombre). Dios te ama (nombre)". El niño llamado hace lo mismo. Continúe hasta que todos los niños hayan sido llamados. Diga a los niños que Jesús también llama a cada uno por su nombre. El dice "Ven a mí". Pida a los niños quedarse en silencio y dentro de su corazón escuchar las palabras de Jesús.

Después de unos segundos de silencio, pida a los niños formar grupos de acuerdo a los símbolos en su tarjeta.

Come to Me Retreat Day

Purpose

To provide the First Communicants with a communal experience of the love Jesus has for them and to help them hear in their hearts His call: "Come to Me." Adapt the process to the size of your group.

Leaders

❖ Group leaders: parents
❖ Retreat leader: parent/catechist

Location

If possible, select a site outside a classroom setting. It should be large enough to hold the entire group. Other rooms or "stations" will be needed for group activities.

Groups

❖ Small groups should not be larger than twelve.

❖ The children in each group are given name tags. Tags are symbol-coded to each group. The groups will move from one activity to the next—each at a different station.

Sample Schedule

Time	Sun	Star	Wave	Shell	Flower
30 min.	Welcome and Opening Activity (all groups together)				
25 min.	Story	Music	Snack	Bread	Art
25 min.	Music	Snack	Bread	Art	Story
25 min.	Snack	Bread	Art	Story	Music
25 min.	Bread	Art	Story	Music	Snack
25 min.	Art	Story	Music	Snack	Bread
25 min.	Closing and Prayer (all groups together)				

Welcome

Provide a welcoming and peaceful environment. Have instrumental music playing softly as the children come into the room. Invite the group to pray together a short prayer prepared for this time. Then introduce the group leaders and give a brief outline of the day.

❖ Have the children's names printed on symbol coded cards and place the cards in a large "mailbag." The first child pulls a card from the bag and reads the name. The child delivers the card saying, "This is for (name). God loves you, (name)." The named child then pulls out the next card and delivers it in the same way. Continue until all have a name card. Tell the children that Jesus, too, is calling each of them by name. He is saying, "Come to Me." Ask the children to be very still and in their hearts listen to Jesus' words.

After a few seconds of silence, have the children form in groups according to the symbol on their name tags.

Actividades

Historia: Muestre el vídeo *El Pan de la Abuela* u otro apropiado. "El Pan de la Abuela" es una historia acerca de tradición, familia, Iglesia, Pascua de Resurrección y Eucaristía. Invite a una discusión de la historia. Pregunte:

- ¿Cómo está Nonna presente en la Primera Comunión de Mario? Mira las diferentes formas en que ellos ven su presencia.
- ¿Cómo está Jesús realmente presente en la Eucaristía?
- ¿Cómo podemos compartir la presencia de Jesús con otros?

Material necesario: El Pan de la Abuela (vídeo). St. Anthony Messenger (1–800–488–0488)

Música: En este grupo los niños revisan las canciones y las respuestas que cantarán en la Misa de la Primera Comunión. Los dirigentes de este grupo deben revisar la música antes del evento para que puedan dirigir a los niños.

Materiales necesarios: El libro, Sadlier's *Songs: First Eucharist* cassette o CD

Merienda: Trate de proveer ejemplos de diferente tipos de pan (de centeno, de maíz, italiano, negro). El dirigente debe explicar que el pan es la más común e importante de las comidas. El pan se hace de diferentes tipos de harina, y la harina se prepara de diferentes tipos de granos. Explique que en la Eucaristía somos como muchos granos para hacernos uno con Jesús. Luego permita a los niños probar el pan con mermelada.

Materiales necesarios: pan, mermelada, servilletas y platos de cartón

Pan: Muchas veces el tiempo no permite realizar la actividad de preparar la masa y hornear el pan. Si es posible, los niños pueden trabajar en cada grupo en las diferentes etapas de hacer el pan. Por ejemplo:

- ❖ *Grupo uno* mezcla los ingredientes. Háblele del poder de la levadura.
- ❖ *Grupo dos* amasa la harina y la cubre para que suba.
- ❖ *Grupo tres* (aquí puede tener otro pan que ha estado subiendo durante dos horas) note la diferencia entre la masa preparada por el grupo dos y este pan levado. Pida al grupo le ayude a pinchar la masa y a prepararla para hornear.
- ❖ *Grupo cuatro* saque el pan del horno (si posible), y compártalo. (Necesitará tener otro pan listo para sacar del horno).

Pida a alguien de cada grupo leer Juan 6:48–51 o Lucas 22:19.

Materiales necesarios: ingredientes para hacer pan

Arte: Pida a los niños participar en la preparación de dos banderas grandes para ser exhibidas en la iglesia el día de la Primera Comunión. Planifique el proceso de forma tal que cada grupo contribuya a cada bandera.

Bandera 1: Yo soy el Pan de Vida

Bandera 2: ¡Bienvenido, Jesús!

Los niños marcan y cortan letras y otros elementos de diseño (preparados con anticipación). Luego lo pegan en la bandera.

Materiales necesarios: tela de felpa, esténciles, pega

Final del día: Todo el grupo comparte lo que ha hecho y lo que significa para cada uno. Pida a los niños estar atentos mientras lee Mateo 19:13–15. Recuérdeles que Jesús quiere que vayan a él. Pronto ellos irán en forma muy especial en la Santa Comunión. Luego recen un Padre Nuestro. Termine cantando una canción.

Activities

Story: Show the video *Grandma's Bread* or another appropriate film. "Grandma's Bread" is a story about tradition, family, Church, Easter, and Eucharist. Invite a discussion of the story. Ask:

- How is Nonna really present with Mario at his First Communion? See how many ways they can discover her presence.

- How is Jesus really present to us in the Eucharist?

- How can we share Jesus' presence with others?

Materials needed: Grandma's Bread (video). St. Anthony Messenger (1–800–488–0488)

Music: In this group the children will go over the songs and responses they will sing at their First Communion Mass. The leaders for this group should go over the music in advance and be able to direct the children.

Materials needed: child's book, Sadlier's *Songs: First Eucharist* cassette or CD

Snack: Try to provide samples of different kinds of bread from around the world (for example: rye, French, matzoh, pita, Italian). The group leader should explain that bread is the most ordinary, and yet the most important, of all foods. It is made from different kinds of flour, and flour comes from different kinds of grain. Explain that in the Eucharist we are like many grains that become one in Jesus. Then let the children sample the bread with jam.

Materials needed: bread, jam, paper plates, napkins

Bread: Often time does not permit the actual "hands-on" activity of preparing bread from mixing to rising to baking. If possible, have the children in each group work on the bread in its different stages. For example:

- ❖ *Group one* mixes the ingredients. Talk about the power of yeast.

- ❖ *Group two* kneads the bread and covers it for rising.

- ❖ *Group three* (here you must have another bread that has been rising for two hours) notes the difference between the dough prepared for group two and this risen bread. Have the group help you "punch" the dough and prepare it for the oven.

- ❖ *Group four* takes the bread from the oven (if possible), and shares it with the others. (You will need to have a second loaf of bread ready to take from the oven.)

With each group have someone quietly read John 6:48–51 or Luke 22:19.

Materials needed: ingredients for bread-making

Art: Involve the children in making one or two large banners to be displayed in church at First Communion. Plan the process so that each group contributes to the banners.

Banner 1: I am the Bread of Life

Banner 2: Welcome, Jesus!

Children trace and cut out felt letters and other design elements (prepared in advance). They paste these felt tracings to the banner background.

Materials needed: felt, stencils, glue

Ending the Day: The whole group comes together to share what they have done and what it means to them. Ask the children to be very still as you read Matthew 19:13–15. Remind the children that Jesus wants them to come to Him. They will soon do this in a special way in Holy Communion. Then stand and pray the Our Father together. Close by singing a song for their First Communion.

Acknowledgments

Excerpts and adaptations from *Good News Bible,* copyright © American Bible Society 1966, 1971, 1976, 1979.

Excerpts from the English translation of *The Roman Missal,* © 1973, International Committee on English in the Liturgy, Inc. All rights reserved.

Excerpts from the *Misal Romano,* © 1983, Conferencia del Episcopado Mexicano (CEM). All rights reserved.

Excerpts from the English translation of the *Catechism of the Catholic Church* for use in the United States of America, copyright © 1994, United States Catholic Conference, Inc.—Librería Editrice Vaticana.

Excerpts from the *Catecismo de la Iglesia Católica,* © 1992, Librería Editrice Vaticana.

Primera Comunión

Dr. Gerard F. Baumbach
Moya Gullage

Rev. Msgr. John F. Barry
Dr. Eleanor Ann Brownell
Helen Hemmer, I.H.M.
Dr. Norman F. Josaitis
Rev. Michael J. Lanning, O.F.M.
Dr. Marie Murphy
Karen Ryan
Joseph F. Sweeney

Traducción y Adaptación
Dulce M. Jiménez-Abreu
Yolanda Torres

Consultor Teológico
Most Rev. Edward K. Braxton, Ph.D., S.T.D.

Consultor Pastoral
Rev. Virgilio P. Elizondo, Ph.D., S.T.D.

Consultores de Liturgia y Catequesis
Dr. Gerard F. Baumbach
Dr. Eleanor Ann Brownell

Consultores Bilingüe
Rev. Elías Isla
Dr. Frank Lucido

con
Dr. Thomas H. Groome
Boston College

William H. Sadlier, Inc.
9 Pine Street
New York, NY 10005–1002

Contenido

Contents

Nihil Obstat
✠ Most Reverend George O. Wirz
Censor Librorum

Imprimatur
✠ Most Reverend William H. Bullock
Bishop of Madison
March 26, 1996

The *Nihil Obstat* and *Imprimatur* are official declarations that a book or pamphlet is free of doctrinal or moral error. No implication is contained therein that those who have granted the *Nihil Obstat* and *Imprimatur* agree with the contents, opinions, or statements expressed.

Printed in the United States of America.

S is a registered trademark of William H. Sadlier, Inc.

Home Office:
9 Pine Street
New York, NY 10005–1002

ISBN: 0–8215–1277–3
9/21

Rito de bienvenida

Guía: Reunido con tus amigos que se están preparando para la primera comunión. Pide a un adulto de tu familia sostener una vela con una mano y poner la otra en tu hombro. Entonces cantemos:

Señor no Tardes

♪ Ven, ven, Señor, no tardes.
Ven, ven, que te esperamos.
Ven, ven, Señor, no tardes.
Ven pronto, Señor. ♪

Guía: Eres católico. Eres un miembro bautizado de la Iglesia y has celebrado el sacramento de la Reconciliación. Ahora te prepararás para recibir tu primera comunión.

Juntos vamos a leer el mensaje especial escrito en sus velas.

Yo,

_____ ,
(nombre)

me preparo
para recibir
a Jesús
en la Sagrada
Comunión.

Juntos decimos:

Creo en Dios Padre nuestro, Jesucristo, el Hijo de Dios, y Dios Espíritu Santo.

Trataré de seguir a Jesús amando a Dios y a los demás.

Trataré de no herir a los demás.

Trataré de ser justo con todos y de trabajar por la paz.

Trataré de vivir como un buen miembro de la Iglesia.

Por favor, ayúdennos a preparar para recibir a Jesús en la Sagrada Comunión.

(Terminen cantando: "Señor no Tardes").

A Parish Welcoming Rite

Leader: Join with your friends who are preparing for First Communion. Ask an adult in your family to hold a lighted candle in one hand and place the other hand on your shoulder. Then sing:

Children of the Lord

Carey Landry

♪ We are children of the Lord,
  sons and daughters of Light.
We are children of the Lord,
  and we want to walk in God's Light.

Oh, yes, we are God's children;
  We are the gifts of God's love.
Oh, yes, we are God's children;
  To God alone we belong. ♪

Leader: You are a Catholic. You are a baptized member of the Church, and you have celebrated the sacrament of Reconciliation. Now you will prepare to receive your First Communion.

Read aloud together the special message on your candle.

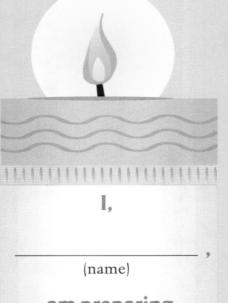

I,

_____,
(name)

am preparing
to receive
Jesus
in Holy Communion.

Now say together:

I believe in God our Father, Jesus Christ, the Son of God, and God the Holy Spirit.

I will try to follow Jesus by loving God and others.

I will try not to hurt others.

I will try to be fair to everyone. I will be a peacemaker.

I will try to live as a good member of the Church.

Please, everyone, help us get ready to receive Jesus in Holy Communion.

(Close by singing "Children of the Lord.")

Nos reunimos

¡Bienvenido a tu grupo de Primera Comunión!

Eres muy especial. Estás preparándote para hacer algo maravilloso. Pronto recibirás a Jesús en la Sagrada Comunión.

Tus familiares te van a ayudar a preparar. Tus maestros también te ayudarán. Toda la parroquia está rezando por ti.

Explícanos como te sientes al estar junto a tus amigos para prepararte para la Primera Comunión.

¡Cuántas personas te aman y se preocupan por ti! Especialmente, Jesús te ama y se preocupa por ti. Jesús desea venir a ti en la Sagrada Comunión. ¿Cómo te sientes al saber eso?

Cuando Jesús vivió en la tierra, la gente se reunía con él. Jesús les contó acerca del gran amor de Dios por ellos. He aquí una historia bíblica de esos tiempos.

Welcome to your First Communion group!

You are very special. You are getting ready to do something wonderful. Soon you will receive Jesus in Holy Communion.

Your families are going to help you to get ready. Your teachers will help you, too. Our whole parish is praying for you.

Tell how you feel about being together with your friends to prepare for First Communion.

So many people love and care for you! Most of all, Jesus loves and cares for you. Jesus longs to come to you in Holy Communion. How does that make you feel?

When Jesus lived on earth, people gathered to be with Him. Jesus told them about God's great love for them. Here is a story from the Bible about one of those times.

Los panes y los peces

Una multitud de cinco mil hombres había estado con Jesús todo el día. Ellos querían estar cerca de él y escuchar sus palabras.

Al final del día Jesús sabía que la gente tenía hambre. Nadie tenía comida excepto un niño. El tenía cinco panes y dos peces. ¿Cómo podía Jesús dar de comer a tanta gente con tan poca comida?

Algo maravilloso pasó. Jesús tomó los panes del niño y dio gracias a Dios. El pidió a sus discípulos dar el pan a la gente. Luego hizo lo mismo con los peces.

Todos comieron lo suficiente. Sobró comida, ¡doce canastas llenas¡ Jesús había obrado un gran milagro dando de comer a la gente que tenía hambre.

Basado en Juan 6:1–4, 8–13

The Loaves and the Fishes

A crowd of five thousand people had been with Jesus all day. They wanted to be near Him and hear His words.

At the end of the day, Jesus knew that the people were very hungry. No one had any food except for a young boy. He had five loaves of bread and two fishes. How could Jesus feed so many people with so little food?

A wonderful thing happened. Jesus took the boy's bread and gave thanks to God. He told His disciples to give the bread to all the people. Then He did the same with the fish.

Everyone had enough to eat. Food was even left over—twelve baskets were full! Jesus had worked a great miracle to feed the hungry people.

Based on John 6:1–4, 8–13

Imaginas que llevas el pan y los peces a Jesús. ¿Cómo te sientes? ¿Qué dices a Jesús después que él usa tu regalo para alimentar a la gente?

¿Qué aprendiste de esta historia de Jesús?

Ustedes están reunidos como amigos de Jesús para prepararse para la Primera Comunión. Aprenderán lo mucho que Jesús se preocupa por ustedes. Y pronto él vendrá a ustedes. Recibirán a Jesús mismo en la Sagrada Comunión. El es el Pan de Vida.

Imagine yourself bringing the bread and fish to Jesus. How do you feel? What do you say to Jesus after He uses your gift to feed the people?

What do you learn from this story about Jesus?

You are gathered together as Jesus' friends to prepare for your First Communion. You will learn how much Jesus cares for you. And soon He will come to you. You will receive Jesus Himself in Holy Communion. He is the Bread of Life.

Completa la oración a Jesús. Rézala con tu familia y amigos mientras te preparas para recibir a Jesús en la Sagrada Comunión.

Complete the prayer to Jesus. Pray it with your family and friends as you prepare to receive Jesus in Holy Communion.

† Gracias Jesús por ser
  nuestro Pan de Vida.
Ayúdame a compartir tu
  vida con otros.

Gracias Jesús por

_____

Ayúdame a

_____

† Thank You, Jesus for being
  our Bread of Life.
Help me to share Your life
  with others.

Thank You, Jesus for

_____

Help me to

_____

Nos reunimos para la Misa

Los católicos nos reunimos como una familia parroquial para recordar y celebrar que Jesús está con nosotros. En esta reunión damos gracias a Dios por su Hijo Jesús y por todo lo que Jesús hizo por nosotros. Esta celebración se llama la Misa.

Al principio de la Misa somos bienvenidos. Hacemos la señal de la cruz junto con el sacerdote. Pedimos a Dios que nos perdone. Le damos gracias.

Miren la foto.
Expliquen lo que está pasando.

Ahora juntos, vamos a leer las oraciones que decimos al principio de la Misa.

We Gather for Mass

Catholics gather together as a parish family
to remember and celebrate that Jesus is
with us. We thank God for Jesus, the
Son of God, and for all that Jesus did for us.
This celebration is called the Mass.

At the beginning of Mass we are welcomed.
We make the sign of the cross together
with the priest. We ask God to have
mercy on us. We praise Him.

Look at the picture.
Tell what is happening.

Now let's read together the prayers
we say at the beginning of Mass.

Principio de la Misa

El sacerdote dice:
El Señor esté con vosotros
(ustedes).

Contestamos:
Y con tu espíritu.

Repetimos después del sacerdote:
Señor, ten piedad.
Cristo, ten piedad.
Señor, ten piedad.

Proclamamos o cantamos:
Gloria a Dios en el cielo,
y en la tierra paz a los
hombres que ama el Señor.
Por tu inmensa gloria
te alabamos,
te bendecimos,
te adoramos,
te glorificamos,
te damos gracias,

Señor, Dios, Rey celestial,
Dios Padre todopoderoso.
Señor, Hijo único Jesucristo,
Señor Dios, Cordero de Dios,
Hijo del Padre;
tú que quitas el pecado del mundo,
ten piedad de nosotros;
tú que quitas el pecado del mundo,
atiende nuestra súplica;
tú que estás sentado a la derecha
del Padre,
ten piedad de nosotros;
porque sólo tú eres Santo,
sólo tú Señor, sólo tú
Altísimo, Jesucristo, con
el Espíritu Santo en la
gloria de Dios Padre.
Amén.

The Mass Begins

The priest says:
The Lord be with you.

We say:
And also with you.

We say after the priest:
Lord, have mercy.
Christ, have mercy.
Lord, have mercy.

We say or sing:
Glory to God in the highest,
and peace to his people
on earth.

Lord God, heavenly King,
almighty God and Father,
we worship you,
we give you thanks,
we praise you for your glory.
Lord, Jesus Christ, only Son of
the Father,
Lord God, Lamb of God,
you take away the sin of the world:
have mercy on us;
you are seated at the right hand
of the Father:
receive our prayer.

For you alone are the Holy One,
you alone are the Lord,
you alone are the Most High,
Jesus Christ,
with the Holy Spirit,
in the glory of God the Father.
Amen.

Rezamos
y cantamos
juntos.

We sing and pray together.

Pedimos
perdón
a Dios.

We ask for God's mercy.

Jesús está con nosotros

¿Recuerdan lo que pasa al principio de la Misa? ¿Pueden explicarlo?

Luego coloreen los letreros que nos dicen lo que hacemos al inicio de la Misa.

¿Pedirán a sus familias que les lleven a Misa el próximo domingo?

Jesus Is With Us

Do you remember what happens at the beginning of Mass? Tell about it.

Then color only the signs that tell what we do as Mass begins.

Will you ask your family to take you to Mass this Sunday?

Rezamos el
Padre Nuestro

We pray the Our Father.

Alabamos
a Dios.

We praise God.

Para la familia

Esta primera lección da la bienvenida a los niños al programa de preparación para la Primera Comunión. Empezamos con el principio de la Misa—una bienvenida amplia. Queremos asegurarnos que su niño se sienta verdaderamente bienvenido a su grupo de Primera Comunión, así como a la parroquia. La primera lección está diseñada para ayudar a los niños a sentirse como en casa y bienvenidos a la familia parroquial. Los siguientes pasos pueden ayudarle a repasar la lección con su niño.

1. Lea todo el capítulo con el niño. Exhórtele a que le cuente la historia bíblica donde Jesús da de comer a la gente que tenía hambre.

2. Ayude al niño a entender lo que pasa al principio de la Misa. Repasen juntos las respuestas. Pida a su niño llevar a la Misa este misal para seguir cada parte y poder responder.

3. Revise la última página de la lección donde se le pregunta al niño lo que pasa al principio de la Misa.

4. Juntos pasen unos minutos haciendo la actividad **En la casa**, en esta página. Usted ha dado un buen paso al trabajar junto a la parroquia para preparar a su niño para el acontecimiento más importante en su vida espiritual, la Primera Comunión.

En la casa

Haz un mural especial para la familia.

Invita a los miembros de tu familia a que agreguen notas diciéndo:

✤ que están rezando por ti;

✤ que te ayudarán a preparar.

Haz una tarjeta como la que aquí presentamos para empezar tu exhibición en el mural.

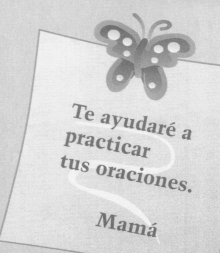

Te ayudaré a practicar tus oraciones.

Mamá

Se acerca el día especial para ti. Rezo por ti.

Tío Juan

Querido Dios:

Me has llamado por mi nombre

_____

(nombre)

Soy tu hijo. Ayúdame a prepararme para recibir a Jesús, tu Hijo, en la Sagrada Comunión.

Escuchamos

Piensen en sonidos que les hacen sentir bien.
¿Cuáles serán?

¿El sonido de las campanas de la iglesia?
¿La voz de tu madre al cantar?

¿El sonido del viento en verano?
¿El llanto de una gaviota?

¿La melodía de una canción?
¿Tu voz en la oración?

Algunas veces debemos escuchar atentamente
para oir cuando Dios nos habla.

Escuchamos la palabra de Dios en la Misa.
¿Cómo tratan de escuchar bien la palabra
de Dios?

¿Qué pueden hacer para escuchar
mejor?

Think of sounds that make you happy.
What might they be?

A church bell ringing?
Your mother singing?

The summer wind sighing?
A sea gull crying?

A happy song playing?
Your own voice praying?

Sometimes we must listen very
hard to hear God speak to us.

We listen to God's word at Mass.
How do you try to listen well
to God's word?

What might you do to be
a better listener?

21

Escuchando la palabra de Dios

He aquí una canción de la Biblia.
Es un salmo.
Jesús, con frecuencia, escuchaba estas
palabras cuando tenía la edad de ustedes.

Alaben a Dios desde el cielo,
   alaben a Dios en las alturas.
Alaben al Señor, el cielo y la luna,
   alaben a Dios, estrellas del cielo.

Alaben al Señor, grandes ballenas,
   alábenle, todos los peces del mar.
Alaben a Dios, montañas y colinas,
   alaben a Dios, todos los animales,
   y aves que vuelan.

Alaben a Dios, todo los pueblos.
   ¡Alaben a Dios siempre!

Basado en el Salmo 148: 1, 3, 7, 9, 10, 13

Listening to God's Word

Here is a song from the Bible.
It is called a psalm.
Jesus often listened to these words
when He was your age.

Praise the Lord from the heavens,
   praise Him in the heights.
Praise the Lord, sun and moon,
   praise God, you shining stars.

Praise the Lord, great whales,
   praise Him, all fish of the sea.
Praise the Lord, all mountains and hills,
   praise God, all animals, all birds that fly.

Praise the Lord, all people everywhere!
   Praise God always!

Based on Psalm 148: 1, 3, 7, 9, 10, 13

23

¿Pueden imaginar cómo el sol y las estrellas
alaban a Dios?

Imaginen cómo las ballenas, los leones
y las águilas alaban a Dios.

¿Cómo podemos alabar a Dios?

Dibújate alabando a Dios.

Can you imagine how the sun and the stars
praise God?

Imagine how whales and lions and eagles
praise God!

How can we praise God?

Draw yourself in a picture praising Him.

Dibújate aquí. Draw your picture here.

¡Alaba siempre a Dios!

Praise God always!

La palabra de Dios en la Misa

En la Misa escuchamos las lecturas de la Biblia.
Durante la Liturgia de la Palabra, la palabra
de Dios se lee de la Biblia.
Escuchamos y también rezamos un salmo.

Antes de leer el evangelio, nos unimos
a nuestra familia parroquial en una canción.
Cantamos: "Aleluya", para expresar lo feliz
que estamos de escuchar la buena nueva.
En el evangelio escuchamos la buena nueva
de Jesucristo, el Hijo de Dios.

Escuchamos al sacerdote o al diácono explicar
lo que la palabra de Dios significa para
nosotros. Esto es la homilía o sermón. Luego
todos juntos proclamamos nuestra fe católica
con el Credo.

Durante la Oración de los Fieles rezamos
por la Iglesia, nuestros líderes y el pueblo.
También rezamos en silencio por nuestras
necesidades.

Así termina la Liturgia de la Palabra,
la primera parte de la Misa.

God's Word at Mass

We listen to readings from the Bible at Mass. During the Liturgy of the Word, the word of God is read to us from the Bible. We listen and pray a psalm, too.

Before the gospel is read, we join with our parish family in song. We sing "Alleluia" to say how happy we are to listen to the good news. In the gospel we hear the good news of Jesus Christ, the Son of God.

We listen as the priest or deacon explains what God's word means for us. This is called the homily or sermon. Then all together we proclaim our Catholic faith in the Creed.

During the Prayer of the Faithful we pray for the Church, our leaders, and all people. We pray quietly for our own needs, too.

This ends the Liturgy of the Word, the first part of the Mass.

La Liturgia de la Palabra

Después de la primera y la segunda lecturas el lector dice:

Palabra de Dios.

Contestamos:

Te alabamos Señor.

Después de leer el evangelio, el diácono o el sacerdote dice:

Palabra del Señor.

Contestamos:

Gloria a ti, Señor Jesús.

Nos ponemos de pie para hacer nuestra profesión de fe. (Ver el Credo de Nicea en la página 101).

Después del Credo, hacemos la Oración de los Fieles. Generalmente después de esta oración decimos:

Señor, escucha nuestra oración.

The Liturgy of the Word

After the first and second reading, the lector says:
The word of the Lord.
We answer:
Thanks be to God.

After the gospel, the deacon or priest says:
The gospel of the Lord.
We answer:
Praise to you, Lord Jesus Christ.

We all stand to make our Profession of Faith.

After the Creed, we say the Prayer of the Faithful. We usually say after each prayer:
Lord, hear our prayer.

29

Rezando y escuchando

¿Por qué o por quién te gustaría rezar en la Oración de los Fieles?
Escribe aquí tu oración.

Por _____

_____

Túrnense para leer sus oraciones en voz alta. Después cada uno conteste:

"Señor, escucha nuestra oración".

Recorta el corazón al final del libro. Escribe en él algo que harás para estar más atento en la Misa esta semana. Une tu corazón al de los demás niños con una cuerda. Levanten la cuerda de los corazones al tiempo que rezan.

† Jesús, danos un corazón dispuesto a escuchar.

Praying and Listening

What would you like to pray for at the Prayer of the Faithful?
Write your prayer here.

For _____

_____

Take turns reading your prayers aloud. After each one, answer together:

"Lord, hear our prayer."

Cut out the heart in the back of the book. Write on it one way you will be a better listener at Mass. Join your heart to all the others on a string. Hold the string of hearts up high as you pray.

† Jesus, give us all a listening heart.

En la casa

Después de los Ritos Introductorios de la Misa, empezamos la Liturgia de la Palabra. La Iglesia nos enseña que Dios está con nosotros en forma especial en las Escrituras. La primera lectura es tomada del Antigüo Testamento (Durante el Tiempo de Pascua de Resurrección es tomada de los Hechos de los Apóstoles en el Nuevo Testamento). Esta lectura es seguida de un salmo, una respuesta a la palabra de Dios. La segunda lectura es tomada de las cartas del Nuevo Testamento. Luego nos ponemos de pie para la proclamación del evangelio, la buena nueva de Jesucristo. Respondemos afirmando nuestras creencias en el Credo y pidiendo la ayuda de Dios en la Oración de los Fieles.

1. El tema de este capítulo es escuchar. Repase la lección con su niño. Lea en voz alta el poema en la página 20 y el salmo en la página 22.

2. Ayude al niño a entender que algunas veces es difícil escuchar, especialmente cuando las palabras son difíciles. Exhorte al niño a escuchar las lecturas de la Misa esta semana. Luego hablen acerca de como aplicar, en sus vidas, lo que escucharon en la Liturgia de la Palabra.

3. Exhorte al niño a prometer escuchar bien en la Misa esta semana. Luego hagan la actividad **En la casa**.

Haz un marcador de libros como el que mostramos aquí. Decóralo. Escribe estas palabras en él.

**Alaba
siempre a
Dios.**

Recuerda estas palabras y compártelas con otros. Lleva siempre tu marcador en tu libro de Primera Comunión.

3 Llevamos regalos

Miren las fotografías.
Muestran algunos de los regalos que Dios
nos ha dado. Hablen de ellos.

¿Qué creen que podemos decir a Dios
por todos sus regalos?

Una forma de dar gracias a Dios es
ofreciéndole un regalo. ¿Pueden pensar
en un regalo que podemos dar a Dios?

Hoy aprenderemos que en la Misa recibimos
y ofrecemos regalos. Empecemos escuchando
una historia que Jesús nos enseñó acerca
de los regalos de Dios.

Look at these pictures.
They show some of God's gifts
to us. Talk about them together.

What do you think we should say
to God for all these gifts?

One way to say thank You to
God is to give a gift in return.
Can you think of a gift you can
give to God?

We will learn today that we both
give and receive gifts at Mass.
Let's begin by listening to a story
Jesus told about God's gifts.

Regalos de Dios

Un día se reunió mucha gente para escuchar a Jesús. Jesús vio que algunos estaban cansados y preocupados por muchas cosas. Algunos de ellos eran pobres y no tenían ropa.

Ellos necesitaban escuchar que el amor de Dios cuida de todos.

Jesús señaló a los pájaros que volaban a su alrededor.

"Miren los pájaros del cielo", dijo Jesús: "Ellos no siembran ni cosechan. Y nuestro Padre que está en el cielo los cuida. ¿No valen ustedes más que muchos pajaritos?"

Luego les dijo: "Miren como las flores silvestres crecen. Ellas no se preocupan por la ropa que van a usar, y ni siquiera un rey se viste tan lindo como estas flores".

God's Gifts

One day many people had come to listen to Jesus. He saw that some of them were tired and worried about many things. Some of them were ragged and poor.

They needed to hear about God's love and care for them!

Jesus pointed to the birds that were flying around them.

"Look at the birds in the sky," Jesus said. "They don't plant or harvest. Yet your Father in heaven takes care of them. Aren't you worth more than many birds?"

Then He said, "Look how the wild flowers grow. They don't worry about what clothes to wear. Yet a king is not dressed as beautifully as these flowers are."

Jesús miró a la gente con amor. El dijo: "No se preocupen por lo que van a comer o a vestir. Si Dios viste a las flores y alimenta a los pájaros, cuanto más no hará por ustedes. Ustedes valen más que las flores y los pájaros".

Basado en Mateo 6:25–32

Dios nos ama y nos cuida. El quiere que nos amemos y nos preocupemos unos por otros.

El amor de Dios por nosotros es tan grande que nos regaló a Jesús.

Damos gracias a Dios, especialmente en la Misa, por el regalo de Jesús.

Jesus looked at the people with love. He said, "Don't worry about what to eat or what to wear. If God clothes the wild flowers and feeds the birds, how much more must He care for you! You are worth so much more than birds and flowers!"

Based on Matthew 6:25–32

God loves and cares for us, too. God wants us to love and care for one another.

God's love for us is so great that He gave us the gift of Jesus.

We thank God for the gift of Jesus, especially at Mass.

Ahora en silencio recen la siguiente oración
como respuesta al mensaje de Jesús.

Now quietly pray the following prayer
as your response to Jesus' message.

✝ Padre que estás en el cielo,
sabes cuales son nuestras necesidades.
Gracias por cuidar siempre de mí.

✝ Father in heaven,
You know all that I need.
Thank You for always caring for me.

Regalos de pan y vino

En la Misa llevamos regalos de pan y vino al altar. Nuestros regalos son cánticos de nosotros mismos. Es nuestra manera de decir: "Gracias Dios, por todo lo que nos das".

La palabra *Eucaristía* significa "acción de gracias".

El sacerdote pide a Dios que acepte los regalos de pan y vino y el regalo de nosotros mismos que ofrecemos.

Un sacrificio es una ofrenda a Dios de algo importante. Un sacrificio es un regalo de amor especial.

Jesús ofreció el mayor sacrificio de todos. El ofreció su vida por nosotros. El murió por nosotros en la cruz y resucitó para estar siempre con nosotros.

En la Misa, recordamos y celebramos la vida, muerte y resurrección de Jesús. Jesús se da a nosotros en la Sagrada Comunión.

¿Pueden aprender las respuestas de esta parte de la Misa?

Gifts of Bread and wine

At Mass we bring gifts of bread and wine to the altar. Our gifts are signs of ourselves. This is our way of saying, "Thank You, God, for all You have given us."

The word *Eucharist* means "giving thanks."

The priest asks God to accept the gifts of bread and wine and the gift of ourselves that we offer.

A sacrifice is an offering to God of something important. A sacrifice is a special gift of love.

Jesus offered the greatest sacrifice of all. He gave His life for us. He died for us on the cross and rose again to be with us always.

At Mass, we remember and celebrate Jesus' life, death, and resurrection. Jesus gives Himself to us in Holy Communion.

Can you learn the responses we make at this part of the Mass?

Preparación de las ofrendas

Llevamos nuestros regalos de pan y vino al altar.

El sacerdote alaba y da gracias a Dios por el regalo del pan.

Contestamos:
Bendito seas por siempre, Señor.

El sacerdote alaba y da gracias a Dios por el regalo del vino.

Contestamos:
Bendito seas por siempre, Señor.

El sacerdote entonces pide para que nuestros regalos de pan y vino sean aceptados por Dios Padre.

Contestamos:
El Señor, reciba de tus manos
este sacrificio,
para alabanza y gloria de su nombre,
para nuestro bien y el de toda su santa
Iglesia.

40

The Preparation of the Gifts

We bring our gifts of bread and wine to the altar.

The priest praises and thanks God for the gift of bread.

We answer:
Blessed be God for ever.

Then the priest thanks God for the gift of wine.

We answer:
Blessed be God for ever.

The priest then prays that we, with our gifts of bread and wine, will be acceptable to God the Father.

We answer:
May the Lord accept the sacrifice
    at your hands
for the praise and glory of his name,
for our good, and the good of all his
    Church.

Regalos de amor

¿Cuál es el mayor regalo que recibimos en la Misa?

¿Qué contestamos cuando el sacerdote alaba y da gracias a Dios por los regalos de pan y vino?

Busquen la respuesta. Con un lápiz de color llenen los espacios donde encuentren una "X". Luego con otros colores terminen de colorear la ventana.

Elige un acto de amor que harás por alguien esta semana. Ofrécelo a Dios en la Misa del domingo.

Gifts of Love

What is the greatest gift we receive at Mass?

What do we answer when the priest praises and thanks God for the gifts of bread and wine?

Find the answer. Use one color to fill in the spaces with an "X." Then use other colors to complete the stained-glass window.

Choose an act of love you will do for someone. Offer it to God at Mass this Sunday.

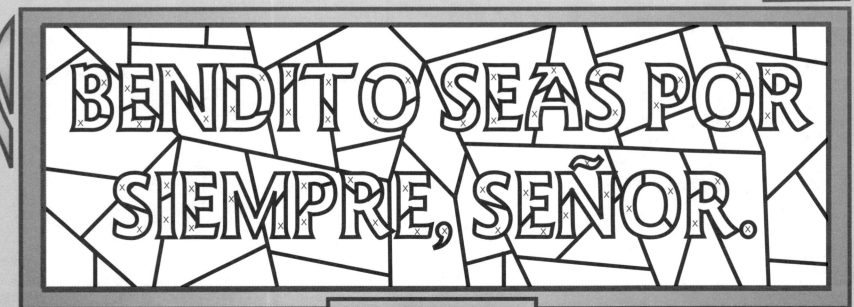

BENDITO SEAS POR SIEMPRE, SEÑOR.

Blessed be God forever.

A todos los niños les gusta recibir regalos. Quizás su niño ha experimentado también lo bueno que es regalar. Hable con su niño sobre los regalos que podemos dar a otros para mostrar nuestro amor. Esto le ayudará a entender el significado del sacrificio.

Al inicio de la Liturgia de la Eucaristía preparamos regalos de pan y vino para Dios. También regalamos para mantener nuestra parroquia y para ayudar a los pobres. Llevamos nuestros regalos al altar como signos de nosotros mismos.

1. Lea el capítulo con el niño. Hablen de los diferentes regalos que recibimos y damos. Luego invite al niño a contarle la historia bíblica.

2. Pregunte al niño que es un *sacrificio*. Pregúntele que gran sacrificio Jesús hizo por nosotros. Ayude al niño a entender que nosotros también nos podemos ofrecer a Dios haciendo pequeñas cosas todos los días.

3. Repase las respuestas que damos durante la preparación de las ofrendas en la Misa.

4. Pida al niño compartir con usted las actividades en la página 42. Recen la oración. Luego hagan la actividad **En la casa**.

En la casa

Invita a todos los miembros de la familia a mostrar amor y preocupación unos por los otros haciendo un pequeño regalo para ellos esta semana.

Dibuja una nube y un arco iris. Recórtalos y escribe en la nube: **Nuestros regalos a Dios**.

Hacer los mandados a la Sra. Pérez

LAVAR EL CARRO A JUAN

Ayudar a mamá a lavar

Enviar una carta al abuelo

Nuestros regalos a Dios

Por cada color del arco iris, pide a un miembro de la familia escribir una forma en la que ayudará a otro. Cuelga el arco iris en un lugar donde todos lo vean para que recuerden las promesas hechas.

Recordamos

Cuando las personas que queremos
están lejos, ¿cómo las recordamos?

Miren las fotografías. Elijan una forma
en que recuerden a las personas.
Hablen acerca de ello con sus
amigos.

Si quieres que alguien te recuerde
siempre, ¿qué harías?

Jesús quiere que siempre le recordemos.
Por eso hizo algo maravilloso.
¿Qué crees que hizo él?

When people you love are far away, how do you remember them?

Look at the pictures. Pick some ways you remember people. Talk about them with your friends.

If you wanted someone to remember you always, what would you do?

Jesus wants us to remember Him always. So He did something wonderful. What do you think He did?

45

Hagan esto en memoria mía

Esto es lo que Jesús hizo por nosotros la noche antes de morir.

Jesús se reunió con sus amigos para una comida especial.

Basado en Lucas 22:19–20

Jesús tomó el pan y dio gracias a Dios. Luego partió el pan y lo dio a sus amigos diciendo: "Tomad y comed todos de él, porque esto es mi Cuerpo, que será entregado por vosotros".

Terminada la comida, Jesús tomó una copa de vino. Dio gracias a Dios y la dio a sus amigos diciendo: "Tomad y bebed todos de él, porque este es el cáliz de mi Sangre, Sangre de la alianza nueva y eterna que será derramada por vosotros y por todos los hombres para el perdón de los pecados. Haced esto en conmemoración mía".

Do This in Memory of Me

This is what Jesus did on the night before He died for us.

Jesus gathered His friends around Him for a special meal.

Based on Luke 22:19–20

Jesus took bread and gave thanks to God. He then broke the bread and gave it to His friends, saying, "Take this, all of you, and eat it: this is my body which will be given up for you."

When the meal was over, Jesus took a cup of wine. He gave thanks to God and handed the cup to each of His friends, saying, "Take this, all of you, and drink from it: this is the cup of my blood, the blood of the new and everlasting covenant. It will be shed for you and for all so that sins may be forgiven. Do this in memory of Me."

Jesús quiere que siempre le recordemos.
El quiere que recordemos que él nos ama.
Especialmente quiere que recordemos lo que
hizo por nosotros al morir en la cruz.

En todas las misas recordamos la Ultima Cena
y el regalo de sí mismo que Jesús nos dio.
También recordamos y participamos de su
muerte y resurrección.
Damos gracias a Dios porque Jesús está
siempre con nosotros en la Eucaristía.

¿Cómo quiere Jesús que le recordemos?
Mira el dibujo en la página 49 y en silencio
agradece a Dios el regalo de Jesús.

Jesus wants us to remember Him
always. He wants us to remember His
love for us. He wants us to remember
especially what He did for us when He died
on the cross.

At every Mass we remember the Last
Supper and the gift of Himself that
Jesus gave to us.
We also remember and enter into His
death and resurrection.
We thank God that Jesus is with us always
in the Eucharist.

How does Jesus want us to remember Him?
Look at the picture on page 49 as you quietly
thank God for the gift of Jesus.

Jesús está siempre con nosotros.

Jesus is with us always.

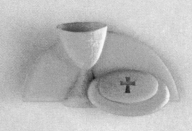

Hacemos la Oración Eucarística

En la Misa Jesús hace por nosotros lo que hizo en la última Cena. Esto lo hace por medio de las palabras y acciones del sacerdote quien ofrece nuestras ofrendas de pan y vino a Dios. El dice y hace lo que Jesús hizo y dijo en la última Cena.

Por el poder del Espíritu Santo y las palabras y acciones del sacerdote, el pan y el vino se convierten en Jesús mismo. Esto es llamado la consagración de la Misa. Lo que vemos parece pan y sabe a pan, pero no lo es. Lo que parece vino y sabe a vino, ya no es vino. El pan y el vino se han convertido en el Cuerpo y la Sangre de Cristo.

Proclamamos nuestra fe cantando:
Anunciamos tu muerte, proclamamos tu resurrección. ¡Ven, Señor Jesús!

Damos gracias a Dios por el regalo de Jesús en la Eucaristía. Recuerda que la palabra *Eucaristía* significa "acción de gracias". Decimos o cantamos "¡Amén!" Esto significa "sí, creo". Creemos que Jesús está realmente presente en la Eucaristía.

Así es como nos unimos en la Oración Eucarística.

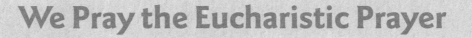

We Pray the Eucharistic Prayer

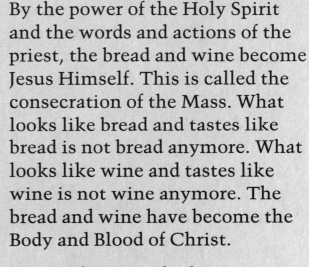

At Mass Jesus once again does for us what He did at the Last Supper. He does this through the words and actions of the priest who offers our gifts of bread and wine to God. The priest says and does what Jesus did at the Last Supper.

By the power of the Holy Spirit and the words and actions of the priest, the bread and wine become Jesus Himself. This is called the consecration of the Mass. What looks like bread and tastes like bread is not bread anymore. What looks like wine and tastes like wine is not wine anymore. The bread and wine have become the Body and Blood of Christ.

We proclaim our faith, singing:
   Christ has died,
   Christ is risen,
   Christ will come again.

We give thanks to God for the gift of Jesus in the Eucharist. Remember, the word *Eucharist* means "giving thanks." We say or sing "Amen!" This means "yes, I believe." We believe Jesus is really present in the Eucharist.

This is how we can join in the Eucharistic Prayer.

La Oración Eucarística

Sacerdote: El Señor esté con vosotros (ustedes).

Todos: Y con tu espíritu.

Sacerdote: Levantemos el corazón.

Todos: Lo tenemos levantado hacia el Señor.

Sacerdote: Demos gracias al Señor, nuestro Dios.

Todos: Es justo y necesario.

Decimos con el Sacerdote:

Santo, Santo, Santo es el Señor,
Dios del Universo.
Llenos están el cielo y la tierra de
tu gloria.
Hosanna en el cielo.
Bendito el que viene en
nombre del Señor.
Hosanna en el cielo.

Proclamamos nuestra fe:

Anunciamos tu muerte,
proclamamos tu resurrección.
¡Ven, Señor, Jesús!

Sacerdote:

Por Cristo,
con él y en él,
a ti, Dios Padre omnipotente,
en unidad del Espíritu Santo,
todo honor y toda gloria,
por los siglos
de los siglos.

Todos: Amén.

The Eucharistic Prayer

Priest: The Lord be with you.
All: And also with you.

Priest: Lift up your hearts.
All: We lift them up to the Lord.

Priest: Let us give thanks to the Lord our God.
All: It is right to give him thanks and praise.

We pray with the priest:
Holy, holy, holy Lord, God of power and might, heaven and earth are full of your glory.
Hosanna in the highest.
Blessed is he who comes in the name of the Lord.
Hosanna in the highest.

We proclaim our faith:
Christ has died,
Christ is risen,
Christ will come again.

Priest:
Through him,
with him,
in him,
in the unity of the Holy Spirit,
all glory and honor is yours,
almighty Father,
for ever and ever.

All: Amen.

53

Recordamos

Cuéntale a un compañero la historia de la Ultima Cena.

Ahora decoren y recen esta oración.

We Remember

Tell a partner the story of the Last Supper.

Now decorate and pray this prayer.

JESUS

Yo, _____ ,
(nombre)

te doy gracias por estar con nosotros en la Misa. Ayúdame a amar a los demás como tú lo hiciste.

I, _____ ,
(name)

thank You for being with us at Mass. Help me to love others as You did.

Empiece esta importante lección recordando al niño la forma en que los miembros de la familia se preocupan unos por otros. Mencione algo especial que el niño ha hecho por alguien esta semana.

El Concilio Vaticano Segundo nos recuerda que la Eucaristía es "la fuente y la cumbre de nuestra fe". Es lo más importante que hacemos como comunidad católica. La celebración de la Eucaristía es nuestra mayor oración de acción de gracias a Dios. En esta celebración hacemos lo que Jesús nos pidió hacer: recordamos y entramos en su muerte salvadora y en su resurrección. Por medio de la Eucaristía tomamos parte en el sacrificio de Cristo.

Su reverencia por la Eucaristía y su fiel participación en la Misa cada semana es un poderoso ejemplo para que su hijo aumente su amor por la Eucaristía.

1. Repasen juntos la lección. Dé tiempo al niño para hablar de regalos. Luego lea la historia de la Ultima Cena en la Biblia.

2. Ayude al niño a entender que cuando recibimos a Jesús en la Sagrada Comunión nuestro "Amén" significa que creemos que Jesús está realmente presente.

3. Hagan juntos la actividad **En la casa**.

En la casa

Prepara tarjetas con los nombres de tus familiares, para colocarlas en la mesa. Si quieres puedes escribir un mensaje especial dentro de las tarjetas.

Antes de la comida invita a los familiares a acompañarte con una acción de gracias.

† **Querido Dios:**
Bendice estos alimentos que vamos a compartir.
Gracias por todos tus regalos. Amén.

5 Recibimos a Jesús

Los discípulos, con frecuencia, veían a Jesús orar al Padre. Ellos querían orar como Jesús. Así que un día le pidieron que les enseñara a orar. Jesús les enseñó la hermosa oración que llamamos Padrenuestro.

Basado en Lucas 11:1–4

Cuando rezamos el Padrenuestro decimos:

Padre nuestro, que estás en el cielo,
santificado sea tu nombre;
venga a nosotros tu reino;
hágase tu voluntad; así en la tierra
como en el cielo.
Danos hoy nuestro pan de cada día;
perdona nuestras ofensas
como también nosotros perdonamos
a los que nos ofenden;
no nos dejes caer en la tentación,
y líbranos del mal.

The disciples often watched Jesus as He prayed to His Father. They wanted to be able to pray like Jesus. So one day they asked Him, to teach them to pray. Jesus taught them the beautiful prayer we call the Our Father.

Based on Luke 11:1–4

When we pray the Our Father, we say,

Our Father, who art in heaven,
hallowed be thy name;
thy kingdom come;
thy will be done on earth
as it is in heaven.
Give us this day our daily bread;
and forgive us our trespasses
as we forgive those
who trespass against us;
and lead us not into temptation,
but deliver us from evil.

La Comunión de la Misa

Rezamos el Padre Nuestro para empezar el momento de la Comunión de la Misa.

Antes de recibir a Jesús en la Sagrada Comunión, pedimos a Dios nos perdone como hemos perdonado a los demás.

Nos preparamos para recibir a Jesús cuando tratamos de perdonar y ser personas de paz.

Para recordar esto, nos dirigimos a los que están a nuestro alrededor para darles la señal de la paz de Cristo. Hacemos esto para mostrar que realmente estamos tratando de ser pacificadores como Jesús.

El sacerdote toma la hostia y la parte. Hace eso para mostrar que todos compartimos el Pan de Vida cuando recibimos a Jesús en la Sagrada Comunión.

The Communion of the Mass

We pray the Our Father to begin the Communion time of the Mass.

Before we receive Jesus in Holy Communion, we ask God to forgive us as we forgive others.

We prepare to receive Jesus when we try to be forgiving and peaceful people.

To remind us of this, we turn to those around us and give them a sign of Christ's own peace. This shows that we really will try to be peacemakers like Jesus.

The priest takes the host and breaks it. He does this to show that all of us share in the one Bread of Life when we receive Jesus in Holy Communion.

Rezamos a Jesús, el Cordero de Dios,
pidiéndole perdón por nuestros pecados
y que nos dé paz.

Después el sacerdote sostiene la hostia.
Rezamos:
"Señor, no soy digno de que entres en
mi casa, pero una palabra tuya bastará
para sanarme".

Preparándonos para comulgar

Para mostrar amor y respeto por Jesús,
los católicos ayunamos antes de recibir la
Sagrada Comunión. Esto quiere decir que
no comemos ni bebemos nada una hora
antes de comulgar. Sin embargo, podemos
tomar agua o medicina.

We pray together to Jesus, the Lamb of God, asking Him to forgive our sins and to give us peace.

Then the priest holds up the host. We pray together:
"Lord, I am not worthy to receive you, but only say the word and I shall be healed."

Preparing for Communion

To show respect and love for Jesus, Catholics fast before receiving Holy Communion. This means that we do not eat or drink anything for one hour before Communion time. However, we can take water and medicine.

61

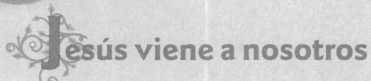

Jesús viene a nosotros

Ahora estamos preparados para recibir a Jesús en la Sagrada Comunión. El sacerdote o el ministro eucarístico nos pone la hostia en la mano o en la boca diciendo: "El cuerpo de Cristo". Contestamos: "Amén".

Recuerda, la palabra *Amén* significa "sí, creo". Creemos que Jesús está realmente presente en la Eucaristía.

Si vamos a recibir del cáliz, el ministro nos dice: "La sangre de Cristo". De nuevo respondemos: "Amén".

Después de recibir a Jesús, cantamos una canción de acción de gracias. Luego en silencio hablamos con Jesús. Le damos gracias por haber venido a nosotros. Le pedimos nos ayude a vivir como sus amigos. Pedimos a Jesús que cuide de nuestra familia, nuestros amigos y todos los que están en necesidad.

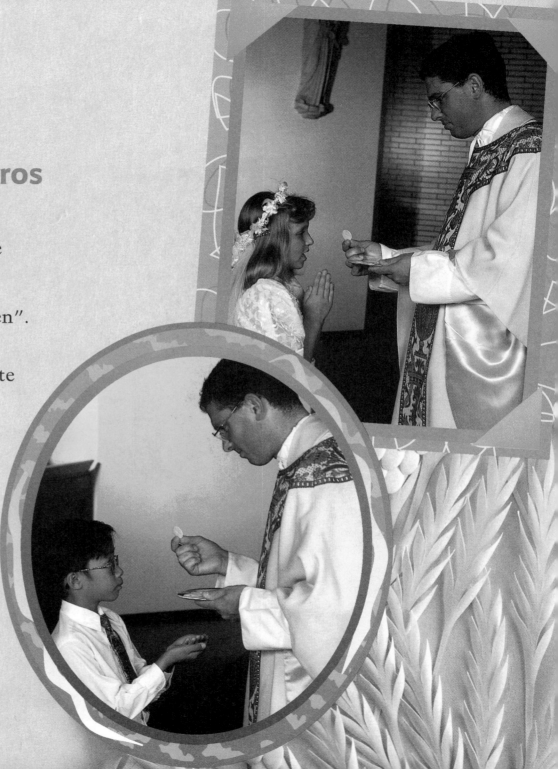

Jesus Comes to Us

We are now ready to receive Jesus in Holy Communion. The priest or eucharistic minister places the Host in our hand or on our tongue, saying, "The body of Christ." We answer "Amen."

Remember, the word *Amen* means "yes, I believe." We believe that Jesus is really present in the Eucharist.

If we are to receive from the cup, the minister says, "The blood of Christ." Again we answer "Amen."

After receiving Jesus, we sing a thanksgiving song together. Then we spend quiet time talking to Jesus. We thank Him for coming to us. We ask Him to help us to live as His friends. We ask Jesus to take care of our families, our friends, and everyone in need.

La Comunión de la Misa

Juntos con el sacerdote rezamos el Padre Nuestro. Luego el sacerdote dice:

Sacerdote: Líbranos de todos los males, Señor, y concédenos la paz en nuestros días, para que, ayudados por tu misericordia, vivamos siempre libres de pecado y protegidos de toda perturbación, mientras esperamos la gloriosa venida de nuestro Salvador Jesucristo.

Todos: Tuyo es el reino, tuyo el poder y la gloria, por siempre, Señor.

Sacerdote: La paz del Señor esté siempre con vosotros (ustedes).

Todos: Y con tu espíritu.

Nos damos la señal de la paz de Cristo.

Todos: Cordero de Dios, que quitas el pecado del mundo, ten piedad de nosotros. (2 veces) Cordero de Dios, que quitas el pecado del mundo, danos la paz.

Todos: Señor, no soy digno de que entres en mi casa, pero una palabra tuya bastará para sanarme.

Ahora estamos listos para recibir la Sagrada Comunión.

Sacerdote o Ministro: El Cuerpo de Cristo.

Contestamos: Amén.

Sacerdote o Ministro: La Sangre de Cristo.

Contestamos: Amén.

The Communion of the Mass

Together with the priest we pray the Our Father. Then the priest says,

Priest: Deliver us, Lord, from every evil, and grant us peace in our day. In your mercy keep us free from sin and protect us from all anxiety as we wait in joyful hope for the coming of our Savior, Jesus Christ.

All: For the kingdom, the power and the glory are yours, now and for ever.

Priest: The peace of the Lord be with you always.

All: And also with you.

We give a sign of Christ's peace to those around us.

All: Lamb of God, you take away the sins of the world: have mercy on us. (**2 times**) Lamb of God, you take away the sins of the world: grant us peace.

All: Lord, I am not worthy to receive you, but only say the word and I shall be healed.

Now we are ready to receive Jesus in Holy Communion.

Priest or minister: The body of Christ.

We answer: Amen.

Priest or minister: The blood of Christ.

We answer: Amen.

Jesús está realmente presente

Explica por qué contestas "Amén" cuando recibes a Jesús en la Sagrada Comunión.

¿Qué dirás a Jesús cuando lo recibas en la Sagrada Comunión?

Para que recuerdes rezar cuando recibas a Jesús. Completa esta oración. Compártela con otros. Luego canten Amén.

Mi Oración de Comunión

Bienvenido, Jesús, bienvenido.

_____

_____

_____

_____

Amén.

Jesus Is Really Present

Explain why you answer "Amen" when you receive Jesus in Holy Communion.

What will you say to Jesus when you receive Him in Holy Communion?

To help you remember to pray when you receive Jesus, finish this Communion prayer. Share your prayer with others. Then sing together an Amen.

My Communion Prayer

Welcome, Jesus, welcome.

Amen.

En la casa

Muy pronto su niño recibirá a Jesús en la Sagrada Comunión. Trate de crear con anticipación una atmósfera de oración en la familia. Con gentileza dirija al niño a pensar con frecuencia en el gozo de recibir a Jesús, en vez de en los regalos que va a recibir.

1. Pida al niño decirle la forma en que Jesús enseñó a orar a sus discípulos. Puntualice que rezamos el Padre Nuestro antes de recibir la Sagrada Comunión. Pida al niño le explique lo que significa decir "perdona nuestras ofensas como también nosotros perdonamos a los que nos ofenden".

2. Hablen sobre el saludo de la paz que compartimos antes de recibir a Cristo. ¿Cómo podemos ser gente que da paz? Luego repasen las respuestas que damos en la Comunión en la Misa.

3. Practique con el niño como recibir la hostia. Hágalo despacio, con calma para que en niño no se ponga nervioso. Si el niño va a recibir de la copa, también practíquelo.

4. Ayude al niño a pensar sobre lo que hará después que reciba a Jesús. Pregunte: "¿Qué vas a decir a Jesús? ¿Por qué rezarás?"

5. Luego hagan la actividad **En la casa**.

Haz una caja de memorias de mi Primera Comunión. Usa una caja de zapatos (o una de tamaño similar). Decórala y escribe en la tapa "Memorias de mi Primera Comunión".

Haz una lista de lo que pondrás dentro de tu caja. Puede que quiera escribir una carta o grabar una cinta sobre el día de tu Primera Comunión.

fotografías _____ _____ _____

tarjetas de oración _____ _____

Memorias de mi Primera Comunión

Como recibir la Comunión

Así es como recibimos el Cuerpo de Cristo.

✠ Prepara tu corazón para dar la bienvenida a Jesús.

✠ Camina hacia el altar con las manos juntas.

✠ Puedes recibir la hostia en la mano. Cuando llegue tu turno, con las palmas hacia arriba coloca tu mano derecha debajo de la izquierda (o lo opuesto si eres zurdo).

✠ Cuando escuches las palabras, "el cuerpo de Cristo", contesta "Amén".

✠ Cuando la hostia es puesta en tu mano con cuidado ponla en la boca y regresa a tu lugar.

✠ Puedes recibir la hostia en la boca. Después de contestar "Amén", con las manos juntas levanta la cabeza y saca un poco la lengua. Después que la hostia es colocada en tu lengua, regresa a tu lugar. Traga la hostia.

How to Receive Communion

This is how we receive the Body of Christ.

✢ Prepare your heart to welcome Jesus.

✢ Walk to the altar with hands joined.

✢ You can choose to receive the Host in your hand. As your turn comes, cup your left hand on top of your right hand (or the opposite if you are left-handed).

✢ When you hear the words "The body of Christ," answer "Amen."

✢ After the Host is placed in your hand, carefully place it in your mouth. Then return to your seat.

✢ You can choose to receive the Host on your tongue. After you answer "Amen," hold your head up and gently put out your tongue. After the Host is placed on your tongue, return to your seat. Swallow the Host.

Así es como recibimos la Sangre de Cristo.

- ✤ Si vas a recibir del cáliz, traga la hostia y dirígete hacia el ministro con el cáliz.

- ✤ Cuando escuches las palabras "la sangre de Cristo", contesta "Amén".

- ✤ Luego bebe un trago de la copa.

- ✤ Regresa a tu lugar.

Después de recibir la Comunión

- ✤ Canta la canción de la Comunión con toda la familia parroquial.

- ✤ Pasa un tiempo con Jesús. Dile por lo que estás agradecido. Luego háblale sobre cualquier cosa que haya en tu corazón. Pídele te ayude a vivir como su amigo.

This is how we receive the Blood of Christ.

✣ If you are to receive from the cup, swallow the Host and move to the minister holding the cup.

✣ When you hear the words "The blood of Christ," answer "Amen."

✣ Then take a sip from the cup.

✣ Return to your seat.

After Receiving Communion

✣ Sing the Communion song with your parish family.

✣ Spend time just with Jesus. Tell Him the things for which you want to thank Him. Then talk to Him about whatever is in your heart. Ask Him to help you live as His friend.

Jesús está siempre con nosotros

Muy pronto recibirán a Jesús en la Sagrada Comunión. ¡Qué día feliz será ese! La felicidad es algo que necesitamos compartir. ¿Cómo pueden compartir la felicidad de que Jesús va a venir a ustedes?

¿Qué puedes hacer por . . .
- ✧ tu familia?
- ✧ algún enfermo?
- ✧ alguien que está triste?

La Iglesia nos enseña que los católicos debemos comulgar por lo menos una vez al año. Debemos tratar de comulgar cada vez que vamos a misa. ¡Qué hermoso es que podemos hacer eso!

Vamos a reunirnos en un círculo de oración. Túrnense para ir al centro. Cada uno diga: "Puedo compartir mi felicidad

_____".

Soon you will receive Jesus in Holy Communion. What a happy day that will be! Happiness is something that we need to share. How can you share your happiness?

What can you do for. . .
❖ your family?
❖ someone who is sick?
❖ someone who is sad?

The Church teaches us that Catholics must receive Holy Communion at least once a year. But we should try to receive Jesus every time we go to Mass. How wonderful it is that we can do this!

Let's gather in a prayer circle. Take turns coming to the center. Say, "I can share my happiness by

_____."

Eres luz

Un día Jesús dijo a sus discípulos:

"Ustedes son la luz del mundo.
No se enciende una lámpara para
ponerla debajo de una canasta.
Se pone en una mesa para que
todos en la casa la puedan ver.
Dejen que su luz
brille para que todos
puedan ver la luz
que hay dentro de ustedes
y vean las cosas buenas que hacen.
Luego glorificarán a
Dios en los cielos".

Basado en Mateo 5:14–16

Jesús quiere que seamos luces brillantes.

You Are Light

One day Jesus said to His disciples,

"You are the light of the world.
People do not light a lamp
and then put it under a basket.
No, they put it on a table
so that everyone in the house can see.
You must let your light
shine before everyone
so that all will see
the light within you
and the good that you do.
Then they will praise your
Father in heaven."

Based on Matthew 5:14–16

Jesus wants us to be like shining lights.

Somos luces cuando...
- decimos y hacemos cosas buenas,
- somos amables con los demás,
- amamos a Dios y a los otros como amó Jesús,
- somos justos y ayudamos a hacer paz.

Todo el que nos vea sabrá que Dios está con nosotros. Ellos serán felices y alabarán a Dios.

En la Sagrada Comunión Jesús nos ayuda a ser como luz que muestra el amor de Dios.

Cuando recibas a Jesús, pídele que esté siempre contigo para que puedas mostrar el amor de Dios a todos.

We are lights when we . . .
- do and say good things,
- show kindness to people,
- love God and others as Jesus did,
- are fair and help to make peace.

Everyone who sees us will know that God is with us. They will be happy and praise God.

In Holy Communion Jesus helps us to be like a light that shows God's love.

When you receive Jesus, ask Him to be with you always so that you can show God's love to everyone.

Haz un dibujo en el que muestres como puedes compartir la luz de Jesús con otros.

Draw a picture showing how you can share Jesus' light with someone.

Eres luz

You Are Light

Pueden ir en paz

Cuando se acerca el fin de la Misa, el sacerdote nos bendice. Hacemos la señal de la cruz y contestamos: "Amén".

La señal de la cruz nos recuerda que por el Bautismo somos miembros de la Iglesia de Dios y discípulos de Jesucristo. Como amigos de Jesús hacemos su trabajo de amor y servicio.

Después somos enviados a vivir la Eucaristía celebrada. El sacerdote o el diácono dice: "Podéis ir en paz".

Contestamos: "Demos gracias a Dios".

Ahora vamos a vivir la Misa amando y ayudando a los demás.

We Go in Peace

As Mass ends, the priest blesses us. We make the sign of the cross and answer "Amen."

The sign of the cross reminds us that through Baptism we are members of God's Church and are disciples of Jesus Christ. As His friends, we carry on Jesus' work of love and service.

Then we are sent forth to live the Eucharist we have celebrated. The priest or deacon says, "Go in peace to love and serve the Lord."

We answer, "Thanks be to God."

Now we are to go forth and live the Mass by loving and helping others.

Final de la Misa

El sacerdote dice:
El Señor esté con vosotros (ustedes).

Contestamos:
Y con tu espíritu.

El sacerdote dice:
La bendición de Dios todopoderoso
Padre, Hijo † y Espíritu Santo,
descienda sobre vosotros.

Contestamos:
Amén.

El sacerdote o el diácono dice la siguiente frase:

✢ Podéis ir en paz.

Contestamos:
Demos gracias a Dios.

Cantamos todos la canción final.

The Mass Ends

The priest prays:
The Lord be with you.

We answer:
And also with you.

The priest prays:
May almighty God bless you,
the Father, and the Son, †
and the Holy Spirit.

We answer:
Amen.

**The priest or deacon says one of
the following:**

✤ Go in peace to love and serve the Lord.

✤ Go in the peace of Christ.

✤ The Mass is ended, go in peace.

We answer:
Thanks be to God.

We sing together a closing hymn.

Deja que tu luz brille

Para que recuerden ir en paz a amar y a servir a otros, corten la linterna que está al final de su libro. Escriban su nombre en ella. Decidan y compartan como tratarán de ser "luz" para otros esta semana.

Ahora reunidos en el círculo de oración. Levanten la linterna y recen:

† Jesús, ayúdanos a dejar que tu luz brille en nosotros para ser personas que amen y sirvan.

Junto con tus compañeros, cuelga tu linterna en la pizarra. Cuando veas las liternas recuerda dejar que tu luz brille para otros.

Let Your Light Shine

As a reminder to go in peace to love and serve others, cut out the lantern in the back of your book. Write your name on it. Decide and share how you will try to be a "light" to others this week.

Now gather again in your prayer circle. Hold your lanterns up and pray together:

† Jesus, help us to let Your light shine in us by being people who love and serve.

With your friends, hang your lantern on the bulletin board. When you see the lanterns, remember to let your light shine for others.

En la casa

Su niño se está preparando para recibir a Jesús en la Sagrada Comunión. Usted y su niño han trabajado fuerte durante esta preparación. Usted también ha compartido el significado de la Misa y preparado tanto su corazón, como el de su hijo para este hermoso momento en la vida de un niño.

1. Repasen el capítulo. Hablen de lo que significa ser "luz". Encienda una lámpara en un cuarto oscuro, luego cúbrala con una caja. Pregunte al niño: "¿Qué pasa a la lámpara?" Ayude al niño a ver que Jesús quiere que lo mostremos a otros por medio de lo que decimos y hacemos. Es por eso que al final de la Misa se nos dice: "Pueden ir en paz".

2. Revisen las respuestas del Rito de Conclusión de la Misa. Pida al niño le diga como tratará de ser una "luz" amando y sirviendo a otros. Luego hagan la actividad **En la casa**.

3. Ayude al niño a cortar la cruz al final del libro. Ponga un hilo en el tope de forma tal que pueda ponerlo en el cuello del niño. Pida al niño escribir su nombre en ella y que la lleve al **Rito de Conclusión** (páginas 84–85).

Haz un móvil "domingos con Jesús". Esto te ayudará a recordar todo lo que has aprendido mientras te preparabas para recibir la Primera Comunión.

Usa un gancho de ropa como base. Corta un sol y escribe las palabras "domingos con Jesús". Luego dibuja y corta otros símbolos que te ayuden a recordar el regalo de Jesús mismo a nosotros. Añade tus propias ideas.

Rito de Conclusión

Tomen la cruz que recortaron al final del libro y caminen hacia el altar junto a sus padres o tutores.

Guía: Apreciados niños, han recibido a nuestro Señor Jesucristo en la Sagrada Comunión. Que él esté con ustedes siempre.

Todos: Y con tu espíritu.

Guía: Recuerden siempre que pertenecen a Jesucristo. Están bautizados en su nombre. Han recibido su cuerpo y sangre para que los fortalezca y puedan vivir como sus amigos. Esto quiere decir que en la comunión Jesús perdona nuestros pecados veniales y nos ayuda a evitar los pecados mortales. Como recuerdo de su vida en Jesucristo, sus padres o tutores les podrán en el cuello la cruz.

Padres (al tiempo que ponen la cruz al niño digan)**:**

_____ (Nombre) , pongo esta cruz en tu cuello para que recuerdes que Jesús, a quien has recibido en la Eucaristía, estará siempre contigo. El te ayudará a vivir como su amigo.

Niños: Amén, Jesús, prometemos venir a ti con frecuencia en la Sagrada Comunión.

Guía: Toda la Iglesia, especialmente nuestra parroquia, se alegra con ustedes. Cuando oigan su nombre, pasen a recoger su certificado de Primera Comunión.

Guía: Recuerden que Jesús estará con ustedes mientras van a amar y a servir a otros en su nombre. Vámonos en paz cantando.

Canción del testigo

♩ Por ti, mi Dios, cantando voy
la alegría de ser tu testigo,
  Señor.
Es fuego tu palabra que mi boca
  quemó,
mis labios ya son llamas y
  ceniza mi voz.
Da miedo proclamarte pero Tú
  me dices:
no temas, contigo estoy. ♩

A Sending Forth Rite

Hold the cross that you have cut out from the back of the book. Walk to the altar with your parent or guardian.

Leader: Dear children, you have received our Lord Jesus Christ in Holy Communion. May He be with you always.

All: And also with you.

Leader: Remember always that you belong to Jesus Christ. You are baptized in His name. You have now received His Body and Blood to nourish and strengthen you to live as His friends. This means that in Holy Communion Jesus forgives your venial sins and helps you to keep away from mortal sin. As a reminder of your life in Jesus Christ, your parent or guardian will place the cross around your neck.

Parent (Places the cross around the child's neck, saying):

_____(Name)_____, I place this cross around your neck as a reminder that Jesus, whom you have received in the Eucharist, will be with you always. He will help you to live as His friend.

Children: Amen. Jesus, we promise to come to You often in Holy Communion.

Leader: The whole Church, especially our own parish, rejoices with you. As I call your name, come and receive your certificate of First Communion.

Leader: Remember, Jesus will be with you as you go forth to love and serve others in His name. Now let us all go in peace as we sing.

Let There Be Peace on Earth

Sy Miller and Jill Jackson

♪ Let there be peace on earth
and let it begin with me;
Let there be peace on earth,
The peace that was meant to be.

With God as our Father,
We are family.
Let us walk now together
   in perfect harmony.

Let peace begin with me,
Let this be the moment now.
With ev'ry step I take,
Let this be my solemn vow.
To take each moment
   and live each moment
   in peace eternally.

Let there be peace on earth
   and let it begin with me. ♪

Repaso: Recordaré

1 ¿Qué significa la palabra Eucaristía?

Eucaristía significa "dar gracias". En la Eucaristía damos gracias a Dios.

2 ¿Por qué damos gracias a Dios?

Damos gracias a Dios por Jesús, el mayor regalo de Dios a nosotros.

3 ¿Qué hizo Jesús por nosotros?

Jesús nos enseñó como vivir nuestra fe. El murió en la cruz por nosotros y resucitó para que pudiéramos tener nueva vida.

4 ¿Cuándo Jesús nos dio la Eucaristía?

Jesús nos dio la Eucaristía en la Ultima Cena, la noche antes de su muerte.

5 ¿Qué pasa con el pan y el vino en la Misa?

Por el poder del Espíritu Santo y las palabras y acciones del sacerdote, el pan y el vino se convierten en el Cuerpo y Sangre de Jesucristo.

6 ¿A quién recibimos en la Sagrada Comunión?

Recibimos a Jesús, el Pan de Vida.

Jesús, gracias por ser nuestro Pan de Vida.

1

Me preparo para recibir la Sagrada Comunión

1. Me estoy preparando para recibir a Jesús en la Sagrada _____ .

2. Jesús nos alimenta con su cuerpo. El es nuestro _____ de _____ .

3. Nos reunimos para celebrar como la familia de Jesús en la _____ .

doblar aquí

Recuerdo la palabra de Dios

Ordena las palabras para completar la historia bíblica. Escribe las palabras en el pan.

ñoni   úsJes   bemarh   siagarc

saenp   epsec

Una gran cantidad de gente se reunió para escuchar a _____ . Estuvieron con él todo el día. No tenían comida y Jesús sabía que tenían _____ .

Un _____ tenía algo de comida.

Jesús dio _____ a Dios por la comida.

Jesús dio de comer a la multitud con cinco _____ y dos _____ .

Jesús,
ayúdame
a escuchar
de corazón.
Amén.

2

Me preparo para recibir la Sagrada Comunión

1. Leemos historias sobre Dios en la

_____ .

2. En la Misa escuchamos historias sobre

Dios en la Liturgia de la _____ .

3. En la Misa nos ponemos de pie para

escuchar la buena nueva de Jesús en el

_____ .

doblar aquí

Recuerdo la palabra de Dios

Escoge tus líneas favoritas del Salmo 148, en la página 22. La foto en la portada del folleto te recordará el salmo. Luego dibuja y colorea una pintura de tu gusto.

_____

_____

_____

_____

Aprende esta poesía.

Si Dios viste las flores,

alimenta a los pajaritos,

¡cuánto no hará el cuidado

amoroso de Dios por sus

hijitos!

Preparándome para Jesús

3

Me preparo para recibir la Sagrada Comunión

1. Llevamos al altar las ofrendas de

_____ y _____ .

2. El sacerdote ofrece nuestras ofrendas a

_____ .

3. Juntos rezamos,

"Bendito seas por siempre _____ ".

Recuerdo la palabra de Dios

Completa las oraciones. Con las palabras que uses completa el crucigrama.

1. Miren las _____ del cielo.

2. Su _____ cuida de ellas.

3. Miren las _____ crecer.

4. Cuanto más _____ Dios por ustedes.

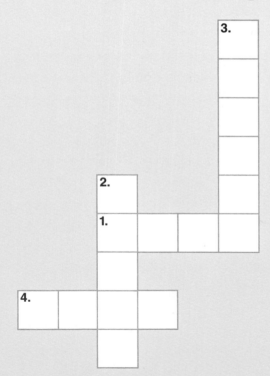

Te damos gracias, Dios Padre,

nos creaste para vivir para ti

   y para los demás.

Podemos vernos, hablarnos,

   hacernos amigos,

   compartir nuestras penas y alegrías.

Con alegría, Padre,

   también te damos gracias... diciendo,

"Santo, Santo, Santo es el Señor,

Dios del universo...."

Preparándome para Jesús

4

Me preparo para recibir la Sagrada Comunión

1. Jesús nos da el regalo de sí mismo en la

_____ _____ .

2. Jesús está realmente presente en

_____ .

3. Jesús quiere que recordemos que el está

con nosotros _____ .

doblar aquí

Recuerdo la palabra de Dios

Usa el código.
¿Cuáles fueron las palabras de
Jesús en la Ultima Cena?

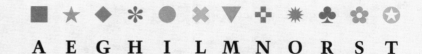

A E G H I L M N O R S T

¿Cuándo hacemos lo que Jesús pidió?

Padre Nuestro...

Danos hoy nuestro
pan de cada día.

Danos a tu Hijo,
Jesús,
nuestro Pan de Vida.

Preparándome para Jesús

5

Me preparo para recibir la Sagrada Comunión

1. Antes de la Comunión nos damos el saludo de la paz de

_____ .

2. Cuando el sacerdote o el ministro dice: "el cuerpo de Cristo", respondemos:

" _____ ".

3. ¿Qué haces después de recibir a Jesús?

_____

_____

doblar aquí

Recuerdo la palabra de Dios

Los discípulos dijeron: "Señor, enséñanos a orar".

¿Qué oración les enseñó Jesús?

Usa un color amarillo y empieza a colorear en → . Colorea una letra sí y otra no.

Ahora escribe el nombre de la oración en la ventana. Decórala.

Reza esta oración con alguien en tu familia.

Rézala con tu comunidad parroquial en la Misa esta semana.

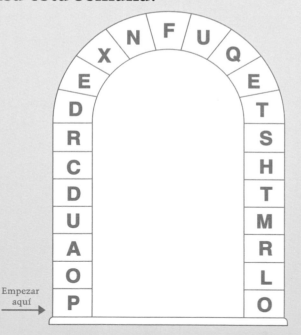

Empezar aquí →

Por nuestros familiares y
amigos y por todas
las personas a quienes
amamos, gracias, ¡oh Dios!

Por el mundo que nos diste
para que lo cuidáramos,
gracias, ¡oh Dios!

Por el regalo de Jesús,
nuestro Pan de Vida,
gracias, ¡oh Dios!

Amén.

Preparándome para Jesús

6

Me preparo para recibir la Sagrada Comunión

1. Cuando el sacerdote nos bendice hacemos

la _____ de la _____ .

2. En la Misa se nos dice: "Pueden ir en

_____ ".

3. Contestamos:

"_____ gracias a _____ ".

doblar aquí

Recuerdo la palabra de Dios

¿Cómo eres una luz? ¿Qué nos dice Jesús sobre ser una luz?

_____

_____

¿Cómo dejarás tu luz brillar durante esta semana?

Yo . . .

☐ ayudaré en la casa

☐ seré justo

☐ seré amable con alguien que no me cae bien

☐ rezaré por algún enfermo

☐ _____

Credo de Nicea

Creo en un solo Dios,
Padre todopoderoso,
Creador del cielo y de la tierra,
de todo lo visible y lo invisible.

Creo en un solo Señor, Jesucristo,
Hijo único de Dios,
nacido del Padre antes de todos los siglos:
Dios de Dios, Luz de Luz,
Dios verdadero de Dios verdadero,
engendrado, no creado,
de la misma naturaleza del Padre,
por quien todo fue hecho;
que por nosotros, los hombres, y por nuestra
salvación bajó del cielo,
y por obra del Espíritu Santo
se encarnó de María, la Virgen,
y se hizo hombre;
y por nuestra causa fue crucificado
en tiempos de Poncio Pilato;
padeció y fue sepultado,

y resucitó al tercer día, según las Escrituras,
y subió al cielo,
y está sentado a la derecha del Padre;
y de nuevo vendrá con gloria
para juzgar a vivos y muertos,
y su reino no tendrá fin.

Creo en el Espíritu Santo,
Señor y dador de vida,
que procede del Padre y del Hijo,
que con el Padre y el Hijo
recibe una misma adoración y gloria,
y que habló por los profetas.

Creo en la Iglesia,
que es una, santa, católica y apostólica.
Confieso que hay un solo bautismo para el
perdón de los pecados.
Espero la resurrección de los muertos
y la vida del mundo futuro. Amén.

Credo Apostólico

reo en Dios, Padre todopoderoso,
Creador del cielo y de la tierra.

Creo en Jesucristo, su único Hijo, nuestro Señor,
que fue concebido por obra y gracia del Espíritu Santo,
nació de Santa María Virgen,
padeció bajo el poder de Poncio Pilato,
fue crucificado, muerto y sepultado,
descendió a los infiernos,
al tercer día resucitó de entre los muertos,
subió a los cielos
y está sentado a la derecha de Dios, Padre todopoderoso.
Desde allí ha de venir a juzgar a vivos y muertos.

Creo en el Espíritu Santo,
la santa Iglesia católica,
la comunión de los santos,
el perdón de los pecados,
la resurrección de la carne
y la vida eterna. Amén.

ORACIONES

Oración para antes de la Comunión

esús, eres mi Pan de Vida. Ayúdame a recibirte en mi corazón. Gracias por compartir la vida de Dios conmigo. Ayúdame a ser siempre fiel a ti.

Oración para después de la Comunión

esús gracias por venir a mí en la Sagrada Comunión. Vienes a vivir dentro de mí. Me llenas con tu vida. Te amo mucho. Ayúdame a crecer en tu amor. Ayúdame a ser y a hacer tu voluntad. Ayúdame a vivir como tú.

Meditación

Sentado en posición cómoda. Relájate y respirando despacio. Quédate tranquilo. Cada vez que respire repite el nombre

Gloria al Padre

loria al Padre, y al Hijo, y al Espíritu Santo: como era en el principio, ahora y siempre por los siglos de los siglos. Amén.

Acción de gracias antes de comer

Bendice Señor, estos dones que vamos a recibir de tu generosidad, por Cristo nuestro Señor. Amén.

Acción de gracias después de comer

Te damos gracias, Dios todopoderoso, por estos dones que hemos recibido por Cristo nuestro Señor. Amén.

Oración en la mañana

Dios mío, te ofrezco hoy todo lo que piense o haga, uniendo mis acciones a lo que Jesucristo, tu Hijo, hizo en la tierra.

Oración en la noche

Dios de amor, antes de ir a dormir quiero darte las gracias por este día lleno de bondad y gozo. Cierro mis ojos y descanso seguro de tu amor.

Ven a
celebrar
conmigo

Jesús dijo:

**"Donde dos o más se reúnen
en mi nombre
ahí estaré yo en medio de ellos".**

Basado en Mateo 18:20

Te invito a asistir a mi

Primera Comunión.

_____

(Fecha)

_____

(Parroquia)

_____

(Hora)

**Espero puedas venir a
celebrar conmigo en este
día especial.**

_____

(Nombre)

doblar aquí

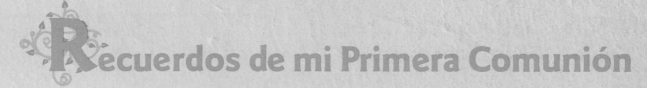

¡Qué día tan especial!
Siempre lo recordaré

_____

(Fecha)

cuando hice mi Primera Comunión.

El padre _____

celebró con nosotros.

Mi canción favorita fue

_____ .

Cuando recibí a Jesús en

la Sagrada Comunión, dije:

"_____",

sí, creo.

mi
fotografía

Estuve muy feliz de que mis familiares y
amigos vinieran a celebrar conmigo:

_____

_____

_____

_____

_____

_____

**mi
familia**

Esto es lo que más recordaré de este día

_____

_____

_____

_____

108

CANCIONES

Un Mandamiento

Un mandamiento nuevo
nos da el Señor,
que nos amemos todos
como nos ama Dios.

La señal de los cristianos
es amarnos como hermanos.

Quien no ama a sus hermanos
miente si a Dios dice que ama.

Cristo Luz, Verdad y vida
al perdón y amor invita.

Perdonemos al hermano
como Cristo ha perdonado.

Comulguemos con frecuencia
para amarnos a conciencia.

Como el ciervo

Como el ciervo que a las fuentes
de agua fresca va veloz
los anhelos de mi alma
van en pos de ti, Señor.

Del Señor, Dios de los cielos,
tiene sed mi corazón.
¿Cuándo, al fin, podrá este siervo
ver tu rostro, gran Señor?

Con canciones de alabanza,
con canciones en su honor,
jubiloso he de acercarme
a la mesa del Señor.

Este pan comamos juntos
en fraterna y santa unión,
este pan que ha preparado
con sus manos el Señor.

Bendigamos al Señor

Bendigamos al Señor,
que nos une en caridad,
y nos nutre con su amor
en el pan de la unidad,
oh Padre nuestro.

Conservemos la unidad
que el Maestro nos mandó,
donde hay guerra, que haya paz,
donde hay odio, que haya amor,
oh Padre nuestro.

El Señor nos ordenó
devolver el bien por mal,
ser testigos de su amor
perdonando de verdad,
oh Padre nuestro.

Al que vive en el dolor
y al que sufre en soledad,
entreguemos nuestro amor
y consuelo fraternal,
oh Padre nuestro.

Oh buen Jesús

Oh Buen Jesús!
Yo creo firmemente,
que por mi bien estás en el altar;
que das tu cuerpo y sangre justamente
al alma fiel en celestial manjar.

Indigno soy, confieso avergonzado,
de recibir la santa comunión.
Jesús, que ves mi nada y mi pecado,
prepara tú mi pobre corazón.

Espero en ti, piadoso Jesús mío
oigo tu voz que dice: "ven a mí".
Porque eres fiel, por eso en ti confío,
todo, Señor, epérolo de ti.

Certificate of First Communion

The parish of _____

joyfully celebrates

with _____

who for the first time received

the Eucharist,

the Body and Blood of Jesus Christ,

on _____ in _____
(Date)   (City, State)

Pastor _____

S